セルロイドの海

平野悠

Celluloid Sea
Yu Hirano

LOFT BOOKS

セルロイドの海

セルロイドの海　目次

プロローグ　6
第一章　出港　11
第二章　フォール・イン・ラブ　35
第三章　ヨーロッパ　99
第四章　北欧　167

第五章　北極海　205
第六章　南米とカリブ海　235
第七章　太平洋へ　265
第八章　横浜へ　311
エピローグ　330

① 横浜

② 神戸

③ マレーシア

④ シンガポール

⑤ スリランカ

⑥ キプロス

⑦ ギリシャ
（サントリーニ島）

⑧ ギリシャ
（ピレウス）

⑨ イタリア

⑩ スペイン

⑪ ポルトガル

⑫ フランス

⑬ ドーバー

⑭ ドイツ

⑮ デンマーク

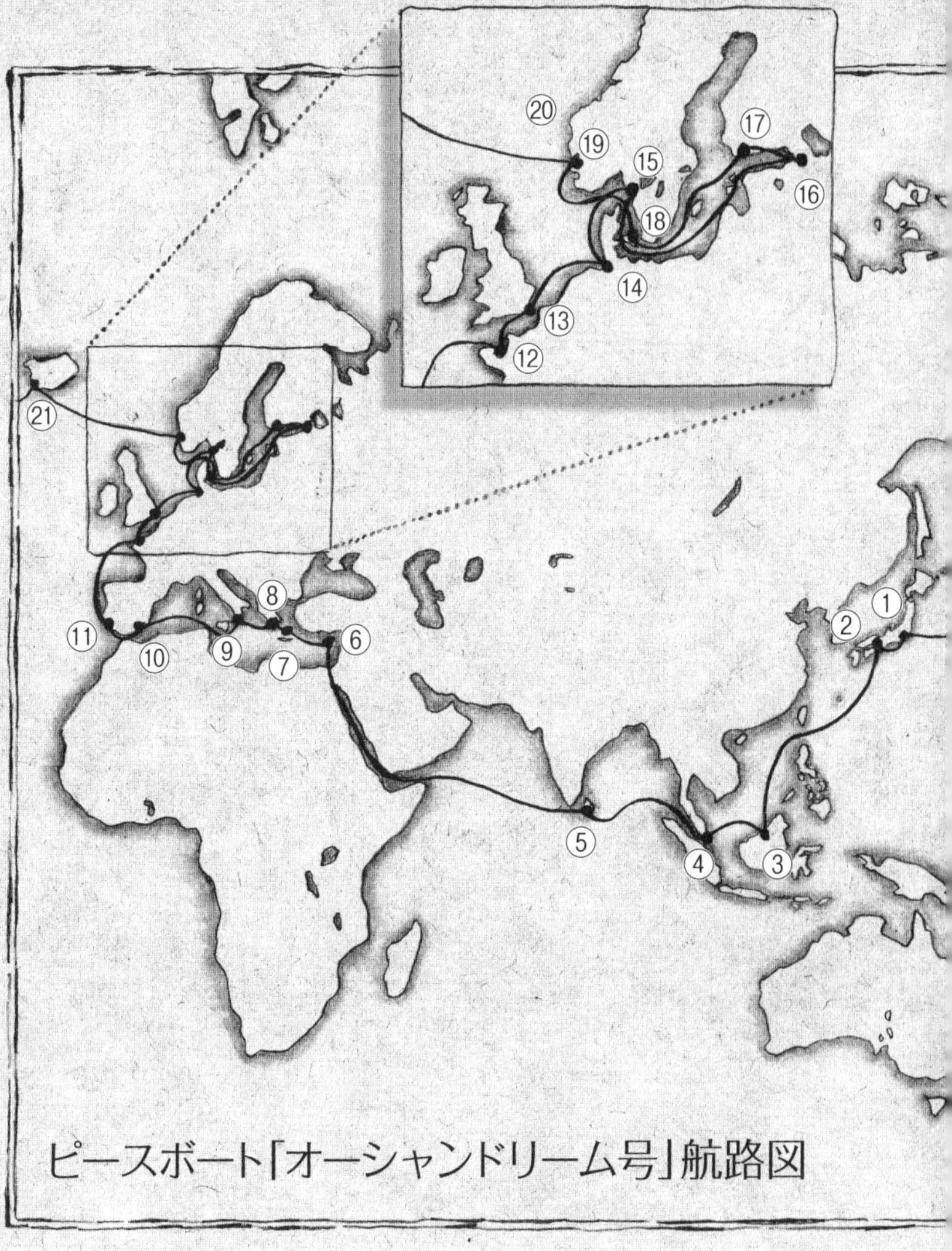

㉖ キュラソー

㉗ パナマ

㉘ グアテマラ

㉙ ハワイ

㉑ アイスランド

㉒ ケープフェアウェル沖遊覧

㉓ ニューファンドランド沖遊覧

㉔ カナダ（プリンス・エドワード島）

㉕ ベネズエラ

⑯ ロシア（サンクトペテルブルク）

⑰ フィンランド

⑱ スウェーデン

⑲ ノルウェー

⑳ ソグネフィヨルド遊覧 ネーロイフィヨルド遊覧

プロローグ

私は死ぬまでにあと何回、恋をするのだろう。

これまで数えきれないほどの恋をしてきた。そして私は七十歳という年齢を経る中で最善の形で人生を送り終わることにもがいていた。年月は知らぬ間に私を老いさせ、姿も変えた。七十歳を過ぎたら、心の赴くままに生きても世間から批判される覚えもない。逆に言えば、もう無理をして世の中に我慢して生きることはないのだ。今までやってみたかったことをする。我慢はしない。もういつ死んでもおかしくない歳《とし》となれば、かえって冒険ができるはずだ。「自由を我が手に」だ。老いていく一方の己を感じながら、これから先どう生きてゆこうか？　新宿の片隅の雑踏で一人、時折ふと立ち止まってしまうこともあった。

人生は旅に似ている。私の運命もまた旅の途中にあるというのだろうか。会社経営からも離れ、多くの時間ができた。あとは以前からやってみたかったことのひとつひとつを生涯かけて潰していこうと思った。

そして「私の中での革命」は起きたのだ。驚くべきことにピースボートの船上で「運命的な恋」を体験した。その経験をブログやネットに書いていたところ、同じような年代の方や若い人から七十歳という年齢でもまだそんなふうに身も心も「ハマれる恋」をすることができるなんて！　とたくさんのメールをもらい、その反響の多さにとても驚いた。

そこで、少しでもそのきっかけになれないだろうかと思い、今回のピースボート乗船体験と恋愛体験を小説にしようと思い立った。

二〇一六年四月。東京に桜が咲き乱れる中、三度目のピースボートの世界一周航海に参加した。まだ見ぬ国を訪ねてみたいという好奇心のほうが勝ったのである。

とりわけ今度は陸地がない北極圏を航海してみたかった。できたら北極圏の国々やオーロラも見てみたいと思った。

今回の船旅で北極に行ければ、私は全世界の六大陸と七つの海を制覇することになるのだ。想像しただけでワクワクした。

それに、単なる豪華客船ではなく、ピースボートの旅である。ディナーのたびにフォーマル服に着替えるようなゴージャス航海には興味はない。

「地球で遊ぶ。地球に学ぶ」を謳うピースボートは、反核、貧困や災害地域の支援、地雷の撤去、植林などの環境保護、被爆者との交流といった活動を続けてきた。

船旅をコーディネートする国際交流NGO「PEACE BOAT」は、もともとは早大生だった辻元清美ら数人が始めたものであることを知っている人は多くはないだろう。

スタッフを含め千四百人もの老若男女が百日以上も同じ船に乗り込む。小さな動く村が形成され、そこにはさまざまなドラマが巻き起こる。

この船で知り合って恋に落ちてしまう人も多いと聞く。

そして、私自身も身も心も焦がすような「恋」にのめり込むことになった。

一人の婦人に恋焦がれ、あてどもない「Fall in love」の世界に入り込んでしまったのだ。これが伝説の「ピースボート・マジック」だったのだ。

真実だけを書いてしまえば、相手にもピースボートのスタッフにも迷惑がかかるから、登場人物の一部は仮名にし、事実関係は若干変えてある。
どうか最後までお付き合い願いたい。

第一章

出港

横浜から神戸へ

横浜・山下埠頭に浮かんだピースボート「オーシャンドリーム号」（三万五千トン、一九八〇年建造、パナマ籍、乗員定員千四百三十人）の姿は、もう見慣れていた。私にとっては何しろ三度目の渡航である。

個室を予約していた私は、出港ギリギリの時刻まで山下埠頭のそばにある喫茶店でコーヒーを飲んでいた。

初めて見た時は、正直「ボロいなあ」と思ったのだが、船内は十一階建てでエレベーター完備、小さいながらもプールやジム、図書館もあってなかなか快適だ。レストランや居酒屋、バーもいくつかある。ピースボートで旅をした作家の車谷長吉は『世界一周恐怖航海記』で船内の食事を「うまい」と何度も書いていたが、確かにまあまあの味だ。船では食べることが一番の楽しみだからだろう。

日本では、現在のところ世界一周できるのはピースボートだけである。年に三回、約百日の旅のプログラムがあり、寄港地は毎回異なる。短期間だけ乗ることもできるし、「離脱」といって寄港地で降りて周辺を旅し、別の寄港地からピースボートに戻ることもできる。

私が船内に入る頃は、ほとんどの人が乗船していて混雑もなく、荷物も部屋に運ばれていた。

若干料金は高いが、部屋は独りのほうが気楽である。四人部屋の場合はピースボートに割り振られるので、初対面の相手と自己紹介や百日間の「お約束事」を取り交わし、荷物の整理に追われることになる。ツアー参加者のうち二十〜三十代の若者は一割くらい。あとは仕事をリタイアして生活に余裕のある人がほとんどだ。外国人も一割以上いる。船に乗るには最低でも百数十万円（個室は三百万円）はかかることになる。船は、飛行機の約二十三分の一の速度で進む。つまり飛行機で一時間かかるところは二十三時間、飛行機で一日かかるところは二十三日かかる計算である。

次の寄港地、神戸まで一日の船旅だ。

出航の夜、私は一人ぽつねんと後部デッキのカフェラウンジから東京湾の海を見ていた。

海も空も星も月も流れていく。風が吹いて海面すれすれに飛ぶ海鳥の声が切れ切れに聞こえる。まだ陸地が肉眼でも見える。久しぶりの灰色の海は一枚の布のように広がっていてセルロイド色に見えた。

翌朝は八時に朝食を取り、船内を散策したあとパソコンに向かって原稿を書き、読書をし、夕方にジムのマシンで走り、ヨガで一人瞑想をしてからサウナに入る。

大海に沈みゆく夕陽を眺めながらビールを飲み、夕食するのが日課だ。八時半から映画を観たりして、十一時頃にバーへ行って軽く飲んだ。

翌日の昼過ぎに神戸港に到着、三百人余りの乗客が乗船した。これで船客は総勢八百人となり、次の寄港地ギリシャでは、さらに二百人近い乗客が乗るそうだ。

この日は、全員参加が義務付けられている船内説明会があった。船内の生活上の注意である。あいさつの励行、部屋では飲酒・喫煙禁止、大声禁止、さらにはトイレでペーパーを大量に使うな、などなど。私は三回目なので、もう聞き飽きているし、好奇心も薄れている。

説明会ではピースボートの概要も説明され、なんと七割の乗客が六十歳以上と聞いて驚いた。だが、日本郵船系列の豪華客船「飛鳥」は八割以上が七十歳以上だそうだ。だから、船内は「動く養老院」と言われるくらい年寄りばかりなのだ。「手押し車」で移動する老婆もいるが、自分も充分に老人なのだから気にしない。

参加者たちは誰もが興奮気味ではしゃいでいて、船での生活を貪ろうとしているようだ。

初めて参加する人は「世界一周」の夢に心躍らせているが、乗客の二、三割はリピーターだという。私もその一人だが、そういえば船内を歩き回ると、知った顔も見かける。

船長主催の船内ウェルカム・パーティー

沖縄沖を通過した時の空は曇っているが、波は静かで、海の色はちょっと暗めのブルーだった。雲は水平線にちぎれていた。

この日の夜は船長主催のウェルカム・パーティーが開かれた。四階の窓のない大食堂で、ほぼ全員が参加している。

確かに船にはパーティーがよく似合う。船上の「儀式」では定番中の定番だ。まず船長のほか航海士、ホテルマネージャーやダイニング支配人、船医などの主なスタッフの紹介や挨拶があり、配られたシャンパンで乾杯して乗客同士が歓談……という感じである。

誰もがまるで映画『タイタニック』の主人公になったようなつもりで、思い思いの正装で着飾り、一人一人握手して回る船長と記念写真を撮って大喜びしている。

おばさんたちにとって、持ってきたドレスを着る最初のチャンスが来たのだ。日本ではとても着られないようなドレスに派手な帽子をかぶり、顔のシワを隠してお互いの衣装を見せびらかしている。みんなどこか興奮している。これから始まる大航海に向けて期待は最大限ふくらんでいるのだ。

私はすぐに大食堂を出て、パーティーの歓声をよそに暗い海を見ながらひたすら汗をかき、ジムで走った。

朝からデッキに出て海ばかり見ている。たそがれの陽の光は線になってこぼれ落ち、北の海、南の空。海ってこれほどまでに自分の心を揺さぶるものだろうか、心が解き放たれる。

海が私たちの魂を掴むのは、生物としても自分の故郷を感じるからなのだろう。

熊本で大きな地震があったというニュースが入った。二〇一六年四月十四日のことだ。この日は曇天で重たい灰色のセルロイド色の雲が垂れ下がり、海の色もその重さに合わせているようだった。波も少し荒れ気味である。

私は夜一人、缶ビールを片手に部屋のテレビで映画『Shall we ダンス?』を観ていた。あのビリー・ワイルダーが絶賛したという周防正行監督の一九九六年のコメディである。

「ダンスをやろう」私はふと思い立った。

社交ダンスは、船内のカルチャーイベントの中でも目玉のひとつである。

私はこれまで社交ダンスをやりたいと思ったことはあまりなかったのだが、船上ダンススクールの受講者は七、八割以上が女性（というかおばさん）なので、男性参加者はモテモテなのだそうだ。どうも男のパートナーの取り合いになるらしい。

前回のクルーズの参加者から聞いた話では、このダンス講座の参加者たちが繰り広げる「男女の愛憎劇」がたまらなく面白いのだという。

映画が面白かったこともあり、社交ダンスに挑戦しようと考えた。

恥ずかしいとか格好悪いとかの気持ちはふっ飛ばさなくては。

寄港地ボルネオのコタキナバルまであと四日となった日、私はなんと七十歳にして憧れの「社交ダンス教室」の受講生となった。毎日一時間のレッスンが午前中と午後の二回ある。私はこれまであまり船内イベントに参加していなかったのだが、いろいろな面白いネタを見つけたかったのである。

女性を誘って初めての星空を観測

台湾側の南支那海。真っ青に晴れ上がった空、思考する。蒼く静かに波打つ海を時速三十キロで海面を滑るように進んでいく。

八階のロビーで海を見ながらパソコンでメールチェックやブログの原稿を書いていると、いろいろな人から声をかけられた。船上では衛星通信でネットとかがなかなか繋がらなく、料金も高い。写真を送ろうとすると十分以上もかかったりするのだ。

「ネットが繋がらないんですけど……メールや写真が受け取れない」

私もそれほど詳しくはないのだが、何とか繋げられたことが何度もあった。そのうち一人の女性から「お礼に」とバーに誘われた。

ダンス講習でちょっとだけ踊った女性である。

その夜の八時にバーで落ち合ってカクテルを二杯飲み、生バンドをバックに習いたてのブルースを女性と踊った。ブルースくらいなら今の私でも踊れる。

「屋上に、星を見に行きませんか」

私は踊りながら、女性の耳元でそっとささやいてみた。

少々の甘いカクテルとダンスのせいで女性は不安定になり、性的にも興奮しているはずだ。

「……はい」どこかおどおどとした雰囲気だ。笑って手を差し出す。

私は女性の腕を取ってデッキに上がり、満天の星空を見上げた。二人ともほとんど無言だった。沈黙は孤独の花を咲かす。

私はなぜか「今日は邪《よこしま》なことは考えまい」と思った。静かな酔いと海があり、風が吹き、空いっぱいの星空の中では言葉はいらない。ちょっと素敵な時間が過ぎた。何と言っても満点の星空は身も震えるほど素敵だ。灰色の沈黙。月は上がる。

自然体で「そろそろ帰りましょ」粘りつくような彼女の顔を見ながら言った。

「じゃあ、お休み」ただそれだけで淡白に別れた。時間にして三十分くらいか。

その後、その女性とは食事の時などに出会っても挨拶を交わす程度で、お互いに話すこともなかった。

なんと、その女性はあの星空の下で、私が何も話さず、何も聞かず、ただ星を見入っているだけで手も握らず別れたのが不満だったようだ。

「平野さん、なんで口説かなかったの?」

その女性の友達からそんな話を聞かされたのは、しばらく経《た》ってからである。

「そうか……。女はたかだか『星を見に行こう』と誘うだけでアレコレ期待する生き物なのか」

私は今さらながらに得心した。

乗船早々から変な噂が飛んだら困るとも思った。そう、まだこの航海は始まったばかりなのだ。

習字教室に参加

昼食後に船内新聞を見てふと気が向いて、「習字教室」を覗いてみた。ドアを開けた途端、「どうぞお入りください」という声に誘われて帰りづらくなり、一時間ほど習字教室の生徒になった。

生徒さんは上品そうな奥さんばかりで、ヒゲをはやしてサングラスの私は浮きまくっていたが、もともと習字は嫌いではないし、習字の道具は部屋にすべて揃っている。

配られた半紙に、「行雲流水　造反有理　悠久三千年」と思うままに書いた。けっこううまく書けたなと思っていたら、隣りの品のいい素敵なマダムから声をかけられた。

「この字を見ていると、あなたはとても自由奔放に生きているのが分かりますね」とさりげなく言われた。この時点では私はこの夫人と恋に落ちることになるとは想像だにしなかった。

書き終えると講評の時間になった。各自が作品を掲げて意味を説明するのだが、さすがに私の「造反有理」には、皆の目が点になっていた。

これは、中華人民共和国を建国した毛沢東の言葉で、「マルクス主義の道理はいろいろあるが、一言でいえば謀反するほうにも道理がある」ということであるらしい。

ここでの発言は思いっきりドン引きされてしまった。やはり私は異端なのか。

初めての団体ツアー

マーレシアのコタキナバルに着岸。船を降りて初めて団体ツアーに参加した。

総勢二百人が各班に分かれてツアーバスで市内観光と動物園、博物館を巡るのである。

ガイドの旗を中心に胸にツアーのワッペンを貼ったシニアの群れが、南国の太陽が照りつける蒸し暑い緑の道をゾロゾロと歩いていく。暑い。さらには昼食を取る光景は、ものすごく迫力があった。

この時点で、私はもうとっくにこのツアーの隊列についていく気力をなくしていた。

ガイドのヘタクソな日本語の説明は長いだけでつまらない。

「格好悪いなあ。これじゃ歌舞伎町の観光客と同じじゃないか」

最終集合時間だけは守るようにして、なるべく単独で行動したが、スタッフは私の団体行動無視を快く思ってはいないようだ。でも気にしない。私はたとえ迷子になっても一人で船に帰る自信がある。なんせ元祖バックパッカー（貧乏旅行者）だからだ。

何番目かの集合場所に早く着いたら、ベンチに同じツアーの顔見知りの女性がうずくまっているのが見えた。

「どうされました？」

「ちょっと気分が悪くなって……」

「暑いですからね。そこのクーラーの効いたカフェで冷たいものでも飲んで休まれてはいかがですか？　私はここの通貨を持ってますから」

「……ありがとうございます」と彼女は頷いた。

彼女は麗子さんといった。

麗子さんを抱えるようにしてカフェテラスに入って休憩したが、気分が悪くなっている女性にあれこれ話しかけるのは失礼だと思ったし、そもそも私はこのおばさんに興味がなかった。

船にたくさんいる老人の一人としか思えず、知り合うチャンスだとも思わなかった。程なく迎えのバスがやって来て、彼女はバスに乗り込んでいった。

逃走する男

横浜を出て私は海ばかり見ていたようだ。ただただ遠くの水平線を見ている。そして思考する。

暗い海。風が吹いている。雨が雲が鳴いて月が出た。月の光を独り占めの気分でビール缶を持った私の手はちょっと寒い。ふと気がつくと船尾の手すりに肘をついていつも海を眺めている若い男がいた。なんとなく不思議な佇まいだ。何か頭を抱えて途方に暮れているように見えた。なんとも話しかけづらい雰囲気だった。人を寄せつけない雰囲気が充満している。ここの船旅で背広を着ているのも不思議だった。異色だった。私は好奇心でいっぱいになり、そばに行って話しかけてみた。

「出航してからいつも海を見ていらっしゃる。私もですが、海が好きなんですね」

「はあ……」

「初めてこの船に乗られたんですか?」と聞いてみた。

「……」答えはなかった。

「私は今回の航海で三回目なんです」

返事はない。しばし私はその男とデッキの柵にもたれ、海風に吹かれながら月を見ていた。そしてただそれだけで彼の姿がいつの間にか消えていた。

そんな出会いが何回かあって、私たちはそれなりの言葉を交わすようになった。一緒に酒場で酒を飲む仲になるのはそれほど時間がかからなかった。

その若い男は山中さんといった。酒が入ると山中さんは淡々と語り始めた。

「大したことではないんですが、会社の経理の不始末があって上司からしばらく身を隠せと言われたんです」

「おっと……それは穏やかではないですね。この船に百日間いるのは、身を隠せる場所としては最適だと?」

「そうなんです。平野さんはなぜこの船に場違いな私が乗ったのかと何回も質問されましたよね。でも私は答えられなかったんです。このことは誰にも喋ってはいないのですが……」

「船を降りる頃にはほとぼりが冷めて会社に復帰できると……」

「いや、会社なんて面倒見てくれるはずがありません。ちょっと時間を作ってこれからのことを考えています。いろいろ覚悟しています」

この男の話に対して好奇心でいっぱいになったが、やはりそれ以上尋ねることはできなかった。

「デッキで星でも見ましょう。きっと心が晴れると思います」私はそう言って、水割りのグラスを持って屋上に上がった。

山中さんは相変わらず、黙って海を眺めている。私はヘッドフォンから流れてくる音楽と酒と海で充分だった。

「明日はシンガポール。降りないんですか?」とヘッドフォンを外し、やおら聞いてみた。「シンガポールですか。身を隠している自分はちょっとまずいんですよ」

「でも、そんな会社辞めちまうんでしょ。それなら問題ないよ。山中さん、街に出ようよ。船内生活だけでは体にも良くないでしょ。明日、街に出てどこかで飯でも食いましょう」と声をかけてみた。

次の朝、山中さんはイミグレーションの前で私をちゃんと待っていた。

船はシンガポールに着岸した。アジアの都市国家で、東京二十三区ほどの広さの島国である。シンガポールといえば、頭がライオンで胴体が魚の「マーライオン」の石像が有名だ。見てみると意外にしょぼいことで知られ、誰もががっかりする。ベルギーの「小便小僧」とデンマークの「人魚姫」と並んで「世界三大がっかり」のひとつなのだそうだ。

山中さんは何も言わず、黙々と私についてくる。ミステリアスな人だ。

「シンガポールでのテーマはないんですが、まあ、アジア最大のチャイナタウンでも散歩しましょう。何か面白いものでも見つかるかもしれない」

「いえ、面白いです。前からこんな無意味なことがしてみたかった。意味なく街を歩くのは初めてなんです」とニコニコしている。山中さんの笑顔を見るのは、これが初めてだったかもしれない。

バスでチャイナタウンに近づくと、立派な寿司屋があった。

「平野さん、寿司を食いましょう。僕におごらせてください」寡黙な山中さんが、突然力を込めて言った。

「えっ、日本料理店って一番日本人が多く集まる所でしょ。いいんですか？」

「いいんです。もう……」しばらく重い空気が流れた。私は彼が次に何を言い出すのかドキドキしていた。

高そうな寿司屋の暖簾《のれん》をくぐった。そして私たちは、何事もなかったようにビールで乾杯した。ふっと、山中さんは独り言のように、「いや、平野さんの無遠慮なツッコミのお陰で何か吹っ切れました。もう一週間も船に乗っていて親しく話せたのは平野さんだけでした。ありがとうございます」と深々と頭を下げられた。その顔はとても清々しく見えた。きっと彼なりに何らかの決断をしたのだろう。なんだか私も嬉しくなった。

「この船旅で一人になって、海や空を見ながら人生についていろんなことを考えました。船旅に来て良かった」とつぶやいた。

「この旅、まだ始まったばかりですよ」と私は答えた。

結局、私は、山中さんがどんな詐欺事件を起こし、何を思い、どんな決断をしたのかを聞き出すことができなかった。「まだこの航海は三カ月ある。事の次第を聞き出すチャンスはあるだろう」と思っていたのだ。

山中さんが、忙しそうにレセプションとファックス室を何度も往復している。私は日々原稿執筆や船内の人物観察に追われていて、山中さんのことはどこか忘れていた。何しろ原稿料をもらっている連載や自分のブログに記事や写真を送らねばならないのだ。シンガポールの寿司屋以来、私たちはほとんど会話を交わしていなかった。居酒屋でもデッキでも三度の食事でもほとんど出会うことがなかった。

夜の十時頃、私はいつものようにみんなとワイワイしながら居酒屋で焼酎を飲んだあと、ふと一人になりたくなり、最上階の展望デッキで星空を眺め、ただ無心にビールを飲み、暗い海に目をやる。月の光が海面に照らし出されて美しい。

突然のように目の前にふ～っと、山中さんの影が現れた。

「平野さん、お話があります。お時間いいですか」と消え入るような声で話しかけてきて、隣りのビーチベッドに腰をかけた。私は慌ててイヤフォンを外した。

「あっ、元気にしていました？　船内生活、楽しんでいますか」

「はあ、実は次の寄港地スリランカで下船しようと思ってるんです」

「えっ、船を降りる？　どうして……」

「いろいろ考えることがありまして、この際、一気に自分の過去を清算するために、日本に戻ろうと思っています」

「どこかそんなこともあり得るなって思っていたけど……でも急ですね。とても残念です」

「実は平野さんと寿司を食べてから、横浜の妻と娘にメールを入れたんです。昨夜、船にファックスが届きました。会社は今回のことはなかったことにすると言ってきたそうです。詳しくは話せませんが……」

それ以上は聞いてはならない雰囲気だった。

「そうですか。決断ですね」

「もう平野さんとは日本でも会うこともないと思います」

「私もあなたのことは何も知らない。それでいいのでしょう。このツアーの料金は払い戻してくれそうですか？」

「いや、それは無理でした。でも僕にとってそんなことはどうでもいいんです。船内デスクは、日本に帰る手続きをすべてやってくれて助かりました」

「それは旅行会社なので当然ですよ。日本までの航空券は取れました?」

「はい。香港まで行きます」

山中さんは仰向《あおむ》けになって海の色、星空を眺めていた。聞きたいことはたくさんあったが、私は山中さんの内面にまで入り込んで質問し続ける勇気を持てなかったのだ。

山中さんは何も言わず、さわやかな笑顔だけを残して暗闇に立ち去った。一日はどっぷり暮れている。去っていった扉が風で開いて、また閉まる。何かが自分から去ってゆく。風が私の心をゆする。

何も語らず、静かだ。それでいいのだ。

「ざわわ　ざわわ　ざわわ　風が通り抜けるだけ」森山良子の哀愁を帯びた歌声がエンジン音に紛れて、かすかにイヤフォンから流れていた。


若き美しい女性と……

夜十時、前々から約束していた若い女性と「一度飲んでお話を」というのが今夜だった。若いし美人だし、けっこうモテる子なのだろうと思った。いつも笑顔を絶やさない子だ。

世界一周の船に乗ると言ったら、会社の上司から「そこにロフトの平野さんという人が乗っているはずだから、話しかけてごらん。きっとためになるから」と言われたそうだ。おそらく私のブログの読者なのだろう。

中南米の酒、ピニャ・コラーダ（パイナップルとラムと牛乳）とキューバリブレ（ラム&コーク）を飲むと一気に酔いがまわって、私は「滋賀の女の子」に何を喋っているのか分からなくなった。栄養士をしていて仕事を辞めて船に乗ったと言っていたな。彼女はさわやかな表情をしていた。私は若い子は苦手であまり好きではない。口説いたりすることはまずない。若い女性と飲んでも情熱的に話せない。さらにオヤジ特有のお説教するのはたくさんだった。少しすると飽きてきた。いわゆる共通テーマがないのだ。「おじさんの若い頃はねえ…」なんていうのは嫌だ。

一時間くらい話しただろうか。相手が二十二歳ではあまりに価値観が違いすぎた。第一、何を話していいか分からない。

あっけらかんと「じゃあね」があって、私は一人デッキの酒場に行き、暗い海を見ながら「焼酎のお湯割り、梅干し入り」を飲む。今夜は洋楽を聴きたい気分だと思いながらニール・ヤングを聴く。ニール・ヤングは何を聴いても同じに聴こえる。そんなことを思っていると、満天の星空と甘い海風が私に何かをささやいてくるようだ。今夜の海はいい「気」に満ちていた。ジャズが聴きたいと思った。

切れ切れの思い出が、程よい酔いとセロニアス・モンクの半音狂ったジャズピアノの流れの中で、走馬灯のように浮かんでは消えていった。

第二章 フォール・イン・ラブ

マラッカ海峡～聖書を読む会

毎日のように時差が一時間ずつ早まる。海は静かで、青く澄んでいる。赤道に向かうにつれて、船は亜熱帯気候のマラッカ海峡に向かっている。マレー半島とスマトラ（インドネシア）を隔てる海峡だ。大型タンカーは通れないと聞いた。この緩やかな温帯の透明な色彩にひれ伏しそうだ。

吉川英治の『黒田如水』を読み始める。

午前九時から「聖書を読む会」に出席することにした。たまには心を新たにして聖書を読む時間があってもいいかなと思っただけで、深い意味はないはずだったのだが。この船の雰囲気がそんな気持ちにさせた。

少しばかり時間に遅れて部屋の扉を開けると、八人くらいの老人たちのニコニコな笑顔に迎えられた。若者は一人もいない。千人の老若男女の乗客の中にそれなりに真面目なキリスト信者が八人とは、ちょっとがっかりした。

参加者は全員自己紹介をすることになっているそうで、私も立ち上がって挨拶した。

「私の爺様はアメリカ人です。爺様は、明治時代に日本文化に憧れて一人でやって来て永住し、日本人と結婚しました。その子が自分の親父なので、私はクォーターということになります。当然そういう家庭だから、幼児洗礼を受けています。洗礼名は『ベネディクト』です」

そう言ってから、このサークルを運営しているのはプロテスタントの信者たちだと知った。プロテスタントといってもいろいろで、洗礼を行なわない教派も多い。洗礼名は別に言わなくても良かったか……とちょっと後悔したが、みんなフレンドリーで感じが良かった。

会も偉そうなお説教もなく、新約聖書を順番に一節ずつ読むという静かで単純なものだった。

参加しているそれぞれの男女は、みんなどこか気品があった。

そして、私は習字教室で出会った晴美さんと再会した。手ぶらで来た私は、教科書を忘れた生徒のように隣り席の晴美さんから新約聖書を見せてもらった。

顔を突き合わせるようにして細かい文字を一生懸命たどたどしく読む。細かい字でとても読みづらく、内容など覚えていないが、マタイ伝の一節だった気がする。

晴美さんの肌は、魔法のような香りがした。

そして一時間は瞬く間に過ぎ、最後に皆で賛美歌を二曲唄った。

賛美歌の定番中の定番である『もろびとこぞりて』と『いつくしみ深き』である。

伴奏のポータブルの電子オルガンを弾いたのが晴美さんだった。白いブラウスにジーパン姿の晴美さんはまぶしく、年甲斐もなく胸がドキドキした。

私はもうその時には彼女の虜になっていたのかもしれない。

最後の「アーメン」の時、私は思わず胸に十字を切ってしまった。プロテスタントの信者は、十字はあまり切ることがないのでちょっとイヤミっぽいかなと反省した。

キリスト教といっても本当にさまざまで、マリアを崇敬しないとか聖餐を毎週行なわないとか、神父や聖職者を認めないとか幼児洗礼を行なわないとか、違いは多いのである。

演奏を終えて席に戻る時、彼女は何か言いたそうな目を私に向けた。だが、私は知らぬふりをしていた。私はもうドキドキしていて、気安く声をかけるのがためらわれたのだ。

インド洋〜チャンス

船は南支那海へ出た。

沈みゆく夕陽を受けて、波が濃いブルーからオレンジ色に染まってゆく。時折遠くに雷の光が見えるのみだった。夏の積乱雲の下では豪雨が起こっているのだろうか。広大なインド洋のサンセットは美しすぎて、何時間も見入ってしまう。

この日の午後は、私が一番入りたかったコーラス・グループに参加していた。これも乗客の自主企画のひとつだ。講師は音大出身で、音程のしっかりした背の低い女性だった。素敵な佇まいだ。

基本的な発声練習を何度も繰り返し、滝廉太郎の『花』から始まって『月の砂漠』まで、ピアノに合わせて五曲を三回ずつ唄った。五十人くらいは参加していたと思う。

オバサンたちの声は実に美しいが、オヤジたちのテノールも恐ろしく力に満ちた音程をなぞっている。みんなコーラスの経験がありそうだった。

それなのに、私ときたら一応は音楽商売なのに音程を外してばかりで、穴があったら入りたい気分になった。カラオケで適当に唄うのとは違い、気品があってハイソな雰囲気が会場全体に漂っている。だが、恥ずかしがらずこういう場に身をさらけ出すのはとてもいい気分だった。

少し離れたところにあの晴美さんが楽譜を持って唄っているのが見えて、私はまた胸がドキドキした。彼女の白いブラウスと青いカーディガンがまぶしく、とても若々しく見えた。

チャレンジ……

その日の夕方。八階のロビーで海を見ながら南国の夕暮れの日差しの中をまどろんでいた。目の前の紺碧の海が私の心の中をゆすっている。突然、豪雨が襲ってきた。海に落ちてゆく雨はキラキラ輝いていて、その海の世界はいつもより違って見えた。

私はこの日、なぜか空虚で自分の心の空白を埋められずにいた。

ひっそりとしたロビーを華やかなドレスを着た女性たちが何人も通り過ぎてゆく。どこぞでダンスパーティーでもあるらしい。

ふと見ると、向かい側のテーブルに晴美さんが一人しょんぼり海を眺めているのが見えた。うっすらと涙が浮かんでいるようだ。

もしかして泣いているのか？　遠くを見たまま深々とため息をついている。

チャンス到来だ！　私は意を決して声をかけた。

「ご一緒してもいいですか」

晴美さんはちょっと驚いたようだったが、私のために椅子を引いてくれた。

「どうぞ。あなたとは、いろいろな場所でご一緒でしたね。気になっていました」

その表情は曇ってはいるが、すらりと伸びたジーパンを履いた長い足、瞳は綺麗に透き通り、どこか穏やかさがあった。

「隣りのコーヒーショップに移りませんか。コーヒーごちそうしますよ」

「ありがとうございます」

二人で隣りのカフェ「カサブランカ」に入った。いつも小さなスクリーンからハンフリー・ボガードの映画が流れている店だ。薄暗い店内に客は誰もいない。前回の航海の時と同じフィリピン人のマークがバーテンをやっていて、ニコニコ顔で注文を取りに来た。

「ハイ、平野さん、コンニチハ。何にします？」

流暢《りゅうちょう》な日本語で聞いてくる。私たちはカウンターから離れた、ちょっと暗い椅子席を選び、コーヒーを注文した。

「先ほどは、何かしょんぼりしたお顔をされていたように見えましたけど」

座るなり、さっき彼女が涙していることに直接触れないようにしながら聞いてみた。

彼女はしばらく黙っていた。

「別に何もありませんわ」

そう言うとまた黙ってしまい、気まずい沈黙の時間が流れた。

どうしようかと思っていたら、晴美さんは自分に言い聞かせるように、無理に軽い調子で言った。

「ごめん、ごめん。忘れて。何でもないの」

私は話題を変えることにした。

「僕は、この船に乗るのは三回目なんです。この船旅にハマっているといってもいいかもしれません。あなたはなぜこの船に？」

「……」

「僕は一人部屋で、世間の煩わしさから解放されたくて。毎日海を見て、みんなと雑談をして、音楽を聴いて本を読んで、酒を飲んで悦に入っているんです」

「私が乗った理由は……家にいるのが辛かったから……」

晴美さんはようやくそう言った。

「そうなんですか……」

彼女に一体何があったのか……。私は好奇心でいっぱいになったが、ストレートには聞けない。

「あなたと逢っていると楽しい。今、僕はとてもいいなって思っている……。何でもいいから話してください」

深い意味はなかったのだが、そう言って、わざとため息をついた。

「ふぅ……」彼女は目を伏せ、押し黙っている。

また沈黙が続いたが、突然、晴美さんが口を開いた。

「浮気ばかりする夫のそばにいたくなくって、この船に乗ったの」

突然何かを決意したように、晴美さんは静かに話し始めた。

「……しばらくは別れて暮らそうと思って」

切れ切れのその言葉は悲しみに溢れていた。

「そうでしたか。大変でしたね」

少し驚いて彼女の顔を見て、独り言のようにそう言った。

「これで二回目なの」

また、悲しそうに消え入るような声で言った。

「一度目はご主人を赦《ゆる》されたんですか?」

「……」

愚問だったようだ。

「……それがもう今回は二年も続いていたんです」

「うーん……」

今度は私が黙ってしまった。二年……。微妙である。

「夫婦間の問題は、非常にデリケートだから難しいですよね」

言葉を選びながらそれだけ言った。

だが、彼女は何か吹っ切れたのか、少しずつ自分のことを話し始めた。

彼女は子どもが三人いて、みんな結婚して孫までいること、専業主婦であること。子どもたちからは「お母さん、我慢して」と離婚に反対されたこと。敬虔なクリスチャンで毎週欠かさず日曜日には教会に行っていること。週に一回ピアノをどこかで教えていること。

彼女は私のことは何も聞かず、淡々と話し続けた。

「なぜそんな話、僕にするの」

そう言いながら、私は何とか彼女の力になりたいと思った。

「あなたとは、聖書の会や習字の会で隣り合わせになったでしょ。今の私の気持ちを一番分かってくれそうで……」

敬虔なクリスチャンでありピアノの先生でもあることが、彼女から醸し出される気品を確かなものにしていると感じた。長い髪は緑色に見え、細い横顔がダウンライトに照らされてまぶしかった。着ている服もセンスがいい。

ただ、病弱な印象でちょっと痩せ過ぎな気がした。旦那の浮気を気に病んでいるのだろうか。私は自分のことはほとんど話さず、とにかく聞き役に徹しようと思った。

「その服、お似合いですね、白と青のセンスが素敵です」

「私の部屋は四人部屋なの。息苦しくて、それにね、意地悪なオバサンが部屋を仕切っていてね……。その人、昼間から部屋でテレビを見ながらお酒を飲んでいるの」

「四人部屋は複雑で、人間関係も大変でしょうね」

「そうなの……。平野さんの部屋に泊まりたいくらいだわ」

「……」

「次の港に降りたら、食事でもしましょうね」歌を唄うように明るく言った。

「あら、もう食事の時間が終わってしまいそう」

晴美さんは私に笑顔を向けて微笑《ほほえ》み、それから小さく溜息をついた。

彼女がほとんど一方的に喋って一時間が過ぎた。あたりはざわついてきて、飲み客のオヤジどもがたくさん入ってきた。

彼女は笑顔で立ち上がり、何事もなかったようにくるりと背中を向けて去っていった。

「次はいつ会ってくれます？　できたら毎日会いたい……」

背中越しの私の言葉は届かず、床に落ちたようだった。彼女は一度も振り向くことなかった。


衝撃的な晴美さんの「告白」を聞き、今夜は酒を飲むのをやめようと思った。

「そうか亭主持ちか……そうするとW不倫になるのか……まいったな」なんか複雑な心境だった。


夜八時、映画館でダスティ・ホフマンの『卒業』を上映していたので、何となく観ることにしたが、映画を観ていてもストーリーが頭に入ってこない。

「俺、もしかして、あの女性《ひと》に恋してる……一目惚れなのか……」

私の頭の中で、突然彼女がキラキラと輝き始めた。場内は閑散としていて、冷房は効き過ぎてお客は数人だった。

めまいがするほどドキドキしている。

今夜は飲まないと決めたのに、映画が終わって気がつくとやっぱりバーにいた。老人たちは早寝だし、若者はお金がないのでこのバーには来ないから、とても静かで悲しくも耽美な気分を醸し出している。一人でいると妄想が始まる。あたりは冷え冷えとしていた。

バーからデッキに出て、暗い海を見ながら星の光が点々と灯《とも》る暗闇の中で、彼女の幻影に心が振り回されているのを感じた。

「俺はあの人に恋をしたのだろうか」風が私の心をゆする。

私は、広大な海に向かって何度もつぶやいた。

「人は出会って、惹かれ合って、恋をして……。こんな気持ちになるのは何十年ぶりだろう」

どんなささやかな恋物語でも、私にとってはギリギリの歳だ。このまま何となく歳をとって、心の震えるような恋とか出会いとはもう永久に縁がなくなる日が来ているかもしれないというのに……。

彼女ともっと話したい、そして彼女の心が欲しいと思った。

一度でいい、ささやかでいい、甘くて魂のとろけるような恋をしたい。

ところで、恋するって、どういうことだったか。

「もう恋するっていう作業は、忘れてしまったな」

私は海に向かって独りつぶやき、苦笑した。

もしこの恋が本物だったら、結末を見るまで頑張るしかないと思った。

船は今、深夜のマラッカ海峡を通過している。

私はふと缶ビールを持って最上階に行き、頭脳警察のPANTAに敬意を表してロックの名盤『マラッカ』を深夜のデッキで流した。

真っ黒な海の向こうにイカ釣り漁船の漁《いさ》り火が見えた。この海峡で命を失った多くの日本人兵士の姿が闇夜に浮かんだように見えた。漁り火が煌々と明かりをつけ、PANTAの透き通ったボーカルと名曲は消えていった。


私の頭の中は、久しぶりに「恋との遭遇」が最大のテーマになっていた。床に横たわる紙コップを見つめながら私は自分に呆《あき》れていた。

恋するってどういうことなのか分からないままに、まるで思春期の青年のように頭の中がだんだん彼女のことでいっぱいになってゆくのを止めようもなく、うろたえる自分がいた。

今すぐに彼女に会いたかったが、名前は晴美さんと聞いただけで苗字も部屋番号も電話番号も分からない。痛恨の極みである。酔っ払うしかなかった。

酔っ払ってデッキの椅子の上で眠り込んでしまったようで、気づいたらもうサンライズだった。早朝の冷ややかで新鮮な空気を胸いっぱいに吸い込んだ。寝不足の朦朧《もうろう》とする意識の中で、美しすぎるインド洋の日の出にただ見入っていた。

この時間になると、もうデッキは船上を散歩する老人たちでいっぱいだ。老人たちは本当に朝が早い。

彼女を追う……七十歳の抵抗

晴美さんのことを思うと、全身が奮い立ってきた。追ってやる。この不確かな恋を実現させてやる。恥も外聞もなく。しみじみとした想いとともに恋の真実を見極めてやると思い、改めて胸を熱くする。

老齢の恋だ。みんなから冷ややかに笑われるのか。

いや、そういうことじゃない。妻や子、会社、友達、カネ、趣味なんか持ったってどうにもならない。

この年齢で美しい恋ができるならば、私は何もかも失っても、何も残らなくてもいいとさえ思った。

私に若さがなくなってしまったわけではないと、信じるしかない。

「決起」が必要だ。そんなことを繰り返し思い続ける自分に苦笑した。

気づくと、朝七時を回っていた。夜明けの空は風もなく乾いていた。

みんなが食堂に集まってくるが、私は朝飯どころではない。彼女を探して夢遊病者のように船内をさまよった。

船内に食堂は三つあるし、彼女がどこで何時に食事をするかまったく見当がつかないのだが、とにかく彼女に会いたい。

この何だか分からない、私を突然襲ってきた妄想にケリをつけたかった。

「どこにいるんだろう……」

探し疲れてロビーの椅子に腰かけ、ぼんやりと海を見ていた。

ただ長い時間が過ぎていった。

「これが恋なのか……。恋って、めんどくせえなあ」

私は海に向かって愚痴った。

「こんなに神経をすり減らして……。こんなに面倒だったっけ」

この日はずっと彼女には会えず、瞬く間に夜が来た。

「俺は、彼女に会ってどうしたいんだろう？」

自分でも分からないのだが、ただ会いたいと思うだけだ。

「これが七十歳の抵抗か……」

そう、私は決起したのだ。

だが、決起したところで、目指す彼女が見つからない。

彼女と会ったら、何を言えばいいのだろう。

「愛しています」とでも言うのか。

敵はイエス・キリストと信仰心

蒼く暗いインド洋のまっただ中で、ついに彼女を捕まえた。雲が空を覆っていて半角の朧月が覗いていた。雲がさらに流れ、風が重く通り抜けてゆく。

夕食時にすべての食堂をまわり、最後に四階の大食堂にいた彼女を見つけたのだ。

「探しました！　やっと捕まえました。とにかくあなたと話したい」

私は人目も気にせず、大きな声を出した。うわずった雄叫《おたけ》びに何ごとかと振り返る人もいた。

「ゆっくり食べてください。外で待ってます」

返事も聞かずに食堂の出入り口で彼女を待った。

待っている間は、とてつもなく長い時間に思えたが、出てきた彼女をカフェに誘った。彼女は小さな声で「はい」とだけ言ってついてきた。私はゆっくり振り返る。

誰にも聞かれないように、奥の椅子に腰を下ろした。

彼女は紅茶を注文しただけで、口もつけずほとんど喋らず、気まずい沈黙が流れた。

ロビー越しに遠くの海が見えるのが救いだった。

ひょっとしたら完全な「拒絶」にあうかもしれないとおののきながら、私は言葉を出せないでいた。しばらくの沈黙が続いた。

もう一度ちゃんと言うしかなかった。

「探しました。すみません。とにかくあなたに会いたかったんです。この気持ちを何と言ったらいいのか……」

頭を下げ、強引に誘ったことを謝った。

彼女は重苦しい沈黙を破って、突如直球を投げてきた。

「神様が、あなたと会ってはいけないと言っています」

「えっ？　神様って……。そんな」

私は彼女を見つめた。その謎解きにしばしの時間が必要だった。

「神様に相談されたんですか？　僕はまだ何も言っていません」

「いえ、私には分かるんです。『次はいつ会ってくれますか』と聞かれて……。この二日間、私も複雑な気持ちだったから」

「聞こえていたんですね。気持ちって、それは……」

私は予想もしなかった返答に窮してしまった。

「私は夫のいる身です」

「……」

私は少し驚いて彼女の顔を見た。

「悔しいのですが、私は神の七千倍、主人を赦《ゆる》すしかないのです。二回目の浮気が分かった時も、主人は私に赦しを請いました。私は赦すしかありません。七の七十倍、赦し続けるしかないのです。赦すことがキリスト教なのです。すべては神の御心のままでです」

「それって聖書の言葉ですよね。それはつまり……」

私は冷静に言った。

「もう充分問い詰めたり話し合ったりして、でも別れたくないから夫を信じて赦そうと思っているということですね」

「はい。理解してください」

彼女は天井のほうを見てそう言った。

「でも、僕はあなたに恋をしてしまったようです」

「それは、私が今の苦しみをあなたに語ったからですか。私の罪なのでしょうか」

「そうです。僕はあなたの悲しみを聞いてしまって、なぜかその一瞬に心が高鳴り、あなたという存在が全身を支配したのです。理解してください」

「でも……」

彼女はうつむいた。

「からかわないでください。私は若くも美しくもありません。誰が私を相手にしようとするのですか。あなたは私をまったく知らないでしょう。そして、私はあなたのことをまったく知りません」

「そうです。でも、それが恋というものだと思うのです」私も必死になって言った。

「恋……」

「あなたは一昨日、私は四人部屋で窮屈だから、僕の部屋に避難したい、港で一緒に食事もしたいと言いました。あれは何だったのですか?」

「あなたは私に何をしたいのですか? こんなオバサンに。私はあなたの部屋には行きません」

「そんなこと、僕は聞いていません。僕は、あなたを部屋に引き込みたいなんて言っていません。恋の本質はただただ抱くことではありません。僕はあなたといろいろなことを分かち合い、時間を共有したいんです」

「……」

「寝るということが目的ではありません。抱くという行為は、言わばデザートだと思います。デザートだけを目的に女性に近寄る男は人はたくさんいるでしょう。でも、僕はそんな卑劣なことはしません」

「こんな話、娘たちが聞いたらビックリするでしょう。私には孫も四人いるんです」

「決起しましょう！　これから残された数少ない人生、ひたすら夫に従属する専業主婦からの終わりを告げて、自立してください。僕はあなたの自立を手伝います。心から手伝います」

だんだん自分が何を言っているのか、分からなくなってきていた。何か糸がプッツンと切れて、もう私は止められない。

これから私たちに何が起こって、何が消えていくのか理解しないまま、「失うものの大きさ」を考えないまま喋り続けていた。

これは世俗的に言えば不倫なのだと一瞬頭をかすめるが、ただただ我を忘れ、彼女の心を掴むのに必死になっていた。

「心さえ掴んでしまったら、私の勝ちだ」こう思っていたのだ。

「あなたは二晩も僕を気にしてくれた」

「あなたは私を養えますか？　私は結婚して四十年、外で働いたこともない専業主婦です」

「あなたが希望するならそうしましょう。もっと自分に自信を持ってください。それに、やろうと思えばシニアだって掃除婦でも皿洗いでもやれるでしょう。食べていくことくらいできます」

「でも……私は信仰を捨てられません。牧師様も、イエス様もすべてをお赦しになったように、きっと私に『赦しなさい』とおっしゃるでしょう」

私の頭は混乱してきていた。

「人間は孤独の中で生まれ、孤独の中で死んでいきます。誰からも笑われることも神から見捨てられることもありません」

「……あなたは、さっきから自分のことを何も語っていないじゃないですか」

「いくらでもこれから長い時間をかけて話します。でも、僕のこの恋を真摯に受け入れてくれないなら話しません。それは打算が入るからです。恋とはそういった理屈とは違うものです」

「話してください。あなたのことを……聞きたいのです」

「その前に、僕の恋を受け入れてくれて、僕と同じ地平に一緒に立って欲しいのです。毎日会ってくれますか」

「失礼します」

突然、彼女は席を立った。

「断絶」の宣言か？　焦り、おどおどするばかりだった。

「私だって、あなたが好き……。門限がありますから、これで」

私は次の約束もできず、独りぽつんと席に残され、呆然と彼女を見送るしかなかった。

彼女が私と話すことより門限を気にしているのはとても悲しかった。時間は九時を回っていた。

「どうする平野！　さらに追うか？」

心の中で声が聞こえたが、座骨神経痛にかかったような私の手足は動かなかった。体に力が入らない。

「ふ、ふられたか……。だが、しかし……」

私は独りつぶやいた。航海はまだ三カ月近くも続くのだ。希望を捨ててはいけない
……と、何かがけしかけた。

「よし、頑張るぞ」

そう決心すると、逆に力が抜けた。

やはり今夜も眠れそうにない。

深夜にまた独りデッキの酒場に行き、インド洋の潮風に吹かれながら海を見て酒を飲んだ。相変わらずこのバーには誰もいない。

「恋をするって、何なんだろうな」

こんな夜は、クリフォード・ブラウンのトランペットの透明で緩やかな響きを聴きたい。独り恋について考えている自分がなぜか急に愛《いと》おしくなった。

「今、この瞬間を生きていて、俺は恋をしているのだ。実らない恋かもしれないが、なんと身も心も充実しているのだろう。この何十年、こんなにも充実していた時間があっただろうか」

古希を迎えんとする自分という存在が、なぜだか嬉しくて懐かしくて涙が溢れそうになった。

老人には老人のギリギリの夢がある。この「恋」物語を成就したいと、切実に思った。

「俺は俺！　生きているぞ！」そう海に向かって叫んだ。

部屋に戻り、睡眠導入剤を飲んでベッドに入った。このまま目覚めなければいいのに……と思いながら眠りに落ちた。

消沈する私の気持ちは、時の経過とともに徐々に回復を遂げようとしている。

狂ったように高揚した意識はそれなりに落ち着きを取り戻していた。

あの晴美さんを思う狂気のような二日間は霧のように消え、インド洋の波風に洗われていった。

船はけっこう揺れていたが、ジムでトレーニングし、ヨガや気功もこなした。

「私だってあなたが好き……。この二日間、私もあなたと同じことを考えていました。でも神様が赦しません」

トレーニングをしながら彼女の言葉を思い出し、まだ恋は続いているはずだと確信した。

確かに私は、彼女に自分のことをほとんど話していない。

バツイチで今の妻との間に二人の子どもがいるが、妻とは別居中だ。

これを知ったら、彼女は哀しむだろう。即座に「私は人の家庭を壊すことはできません」と言われるに決まっていると思った。そういう人なのだ。

まさしく我々二人に横たわるのは、W不倫なのだ。だから、彼女との恋を成就させるまでは自分のことを絶対に言ってはならないと思った。

幸い彼女はインターネットとは無縁で、検索などしたこともなく、私についてもほとんど知らない。

もっとも航海中には私の素性は知れてしまうだろうが、早く彼女の心を勝ち取ってしまえばいい。本気でそう思っていた。

サウナの豪快なエロオヤジ

ジムを出て重たい体を引きずってサウナに入ると、豪快なオヤジが話しかけてきた。若干頭がハゲている。初めて見る顔だ。どうも中小企業の社長らしい。

「いえね、私はこの船に女と乗ってるんですよ」

「えっ？　奥さんではないんですか」

いつもは誰とも話すことのない、隣りの暗そうな男が聞いた。

「そうです」

「それはうらやましい」

男が驚いたように言ったが、私は黙っていた。

「いえね、女はちょっとした小金持ちなんですよ。川崎にビルを何軒か持ってる未亡人なんです」

突然見知らぬ他人に話しかけてくるほどだから、悪気はないはずで、とにかく何でも喋る。どこにでもいる豪快でデリカシーのないオヤジだ。

「いえね、私は愛人をセックスで満足させるために船に乗ってるんです。日本じゃまわりがうるさくって毎日やれないでしょ。毎日一回はやらないと怒るんですよ。私にも古女房がいるので大変なんです」

我々は思わず吹き出した。

「そんなディープな話、誰も聞いてませんよ。ところでおやっさんはおいくつなんですか」

「いえね、七十六歳です」

「えええ～、老いてますますお盛んなんですね。まさに歩く生殖器じゃないですか」

「ハッハッハッ」オヤジは高らかに笑った。

誰とも話したくなかったのだが、こんなバカな（ちょっとうらやましいけど）オヤジのアホ話を聞いていて、心が晴れていくのが分かった。

「あんたはアッチのほうはどうなんです？」

「私ですか？　私は……まあ、失恋したばかりで」

オヤジが面白すぎて、つい余計なことを口走ってしまった。

「なるほど、だから船旅に。センチメンタル・ジャーニーですね」

「いえ、この船で失恋したんです。ついこないだ」

「ほう……」

後悔したが、もう遅い。適当に話を合わせていると、食事に誘われた。

「いえね、今日は僕の誕生日なんで、ここで知り合った連中と飲むんですよ。もちろん女も来るんで、良かったら一緒に食事して、それから一杯どうです？」

これは面白い取材対象になりそうだと直感した。

「ありがとうございます。伺います」

「いえね、では六時半に食堂に集まって、食事が済んでから飲みに行くってのはいかがでしょう」

「分かりました。じゃ後ほど」

「いえね」を連発するオヤジに思わず笑ってしまう。だんだんこのオヤジのことが好きになってきた。

六階の船内売店でオヤジのバースデー・プレゼントにTシャツを買って食堂に行くと、もうエロオヤジの仲間が七人ほど集まっていた。女性は半分。エロオヤジの連れだという女は、意外にもまつげが長く色気のある、男好きするような外見だった。エロオヤジは村西と名乗った。

「ハッピー・バースデー！」

シャンパンのボトルが勢いよく開けられていく。シャンパンがすきっ腹にしみて、早くも酔いが回る。

「平野さんはね、つい先日この船で失恋したばかりなんだって」

村西さんはみんなに私を紹介し始めた。

「まあうらやましい」女性たちは興味深そうに私を見た。

「平野さんはいい男だし、妻の座を要求しない熟女をいくらでも紹介しますよ。この船にも友達はたくさんいるし、恋をしたがっているオバサンたちをたくさん知っているから」

「いやいや、もう勘弁してください」

私は笑って受け流した。今はとてもそんな気にはなれない。

食事を終えて居酒屋に移動したが、内容のない話ばかりで退屈して面倒くさくなってきた。帰るタイミングを狙っていると、ウェイターが「もうすぐマレー半島の有名な灯台が見えます」と教えに来てくれた。

「お、いいね。見に行きませんか」

誰も行きたがらないので、私は首尾よくその場から逃げ出すことができた。

村西さんは宴席を中座した私に気分を害した様子もなく、むしろこの日をきっかけに我々に友情が芽生えることになった。

リアル海賊に遭遇か

このところネットの「青空文庫」から引っ張り出した短編小説ばかり読んでいる。これだけ時間があると、今までに出会ったことのない作家の本をたくさん読めるのが何より嬉しい。今読んでいるのは菊池寛だ（『父帰る』『恩讐の彼方に』）。昭和文学は素晴らしい。

アフリカ沿岸に近いインド洋は「海賊出没警戒海域」であり、日本の海上自衛隊のほか各国の護衛艦が警備についている。船は危険なソマリア沖を大きく迂回しながら紅海を抜け、スエズ運河を渡って地中海に入るコースを取っている。

ときどきニュースにもなるソマリア海域の海賊は凶悪で有名で、世界の海賊事件の三分の一がこのソマリアの海岸線で起きている。ここでは毎年多くの大型船が襲われ、タンカーまで奪われているという。

彼らの目的は身代金で、その大半は一族の生活費や新しい武器や船の購入に使われているそうで、犯罪は凶悪化していく一方だそうだ。

ピースボートも何度か海賊に襲われたことがあるという。

海賊といっても元は貧しい漁師である。ソマリアは内乱の末に無政府状態となり、アフリカで最も豊かな漁場は外国の大型漁船が乱獲したため、彼らの生活の糧《かて》が根こそぎ奪われてしまったのだ。いわば彼らも被害者で、食うために海賊になったのである。

だから、海賊行為を防ぐには、武力に頼らずにソマリアの貧困をなくすしかない。

ピースボートのスタッフも湾岸地域の援助活動に積極的に参加していると聞いた。

スリランカを出港したピースボートの船内は、「海賊対策」で忙しくなった。船の窓という窓、明かりが漏れそうな所はすべて黒い布で覆われた。海賊対策の乗客避難訓練が行なわれた。

「ブザーが三回鳴ったらすぐに部屋に戻ってカーテンを閉めて内から鍵をかけること、窓には近づかない。光が漏れる酒場は閉鎖します」といったことなどを厳命される。

「これは面白くなってきたぞ」不謹慎ながら、私はワクワクした。

「もしかしたらあの大航海時代のキャプテン・クックとかの海賊様とお会いできるかもしれない。まさか乗客を殺すことはないだろう。海賊に襲われたらこの船はどうなるのだろう。そして私たち乗客は……」なんだかとてつもなく面白くなるのかもしれないと思った。

夜はデッキに出るのも禁止になり、船内は海賊の襲撃に怯《おび》えてか、ひっそりと静まり返っている。

今度の船の船長は相当な臆病者と見た。

晴美さんと……

船はインド洋のど真ん中からスエズ運河に向かっている。

夕刻、いつもの八階のロビーでトーストを食べながら読書をし、海を見た。手に持った本は若くして亡くなった哲学者・池田昌子の『死とは』だ。「生命が尊いだと、バカ言っちゃいけません。生命は卑しくも尊くもありません。ただの自然現象です」という彼女の有名な言葉が心に残り続ける。

海の色と波の音だけで心がいっぱいになり、雑念が波間に消えていく。

ふと気を抜いた瞬間だった。奥の席で晴美さんが独り本を読んでいる。

彼女は、私がいつも夕刻にここにいるのを知っている。私を待っていたに違いない。

そう思うと、俄然勇気が出て、スリルも感じた。

「こんばんは。いいですか?」と落ち着いた静かな声で言う。

彼女は顔を上げ、黙って私を見た。彼女の透明な雰囲気はきっとこの風景の海と風がつくり出しているんだろうと、漠然と思った。

「良かったら、コーヒーでもいかがですか」

「……門限が九時までなので、それまでなら」

そう言って彼女は立ち上がった。

また門限かよ……。許された時間は二時間。恋を成就させるには短すぎる。情けなくなったが、今日のところはおとなしくコーヒーを飲もうと思った。

「今日のあなたは涙が出るほどお綺麗ですね」

「……ありがとうございます」

「何の本を読んでいたのですか」

「本ではなくて楽譜です。この年末に発表会があるので……」

「そうですか、何の楽譜？」

「ヘンデルです」

「ヘンデル……。僕にはほとんど知識がない……」

「……私は平野さんのことを何も知りません。少しでもいいから教えていただけませんか」

良かった。彼女はまだ私に興味を持ってくれている。素直に嬉しかった。

「僕の仕事は、東京を中心としたライブハウスの経営です。音楽だけじゃなくて作家や漫画家、タレントなどいろいろなサブカルとかの有名、無名の人たちのイベントを手がけてきました」

「ライブハウス……。音楽をやっていらっしゃるの?」

「僕は、演奏しないんです。経営とプロデューサーですね。今はもうトシだから仕事はあまりやっていないんです」

「まあ、うらやましい」

「といっても、いろいろありましたけどね。若い頃にはバックパッカーで、四年で七十カ国くらいを回りました。その後は五年ほどカリブ海のドミニカ共和国に住んで日本食レストランを開いていたこともあります。本も何冊か出しています」

彼女を前に興奮して、いろいろ喋ってしまった。

「作家さんでもいらっしゃるのね。素晴らしいわ。芸術家なのね」

「そんな偉そうなもんではありませんよ。それより、僕と毎日会ってくださいとお願いしたこと、考えていただけましたか」

「……」

「できたら毎日の食事もご一緒したいんです」

彼女は黙っていたが、私は続けた。

「お互いにもうトシですよね。このままなんとなく老いていっちゃうの、寂しくないですか。心の震えるような恋とか出会いとか、もう永久に縁がなくなってもいいんですか」

「……」

「残された人生、悔いなく生きられますか」

彼女はまだ黙っていたが、しばらくしてようやく口を開いた。

「私たち、お友達になれますよね」

「え……」

お友達かよ……。また論点を外され、私は落胆した。

「お友達と、恋人は違いますよね」

「私だって、誰かと喋りたくなります。毎日毎日、お掃除とお洗濯と食事の支度だけで……。私のことなんか、誰も考えてくれない」

「生きていれば、いろんなことがありますよ」

「三人の子どもを育て上げ、孫の世話にも明け暮れて、自分だけの時間なんか、全然ありませんでした。悲しくて、寂しくて、ボケてしまいそう」

うつむく彼女の顔を夕陽が染めて、とても美しかった。

「今日のあなたはとても綺麗です」

「……そんなふうに私を見てはだめ」

「綺麗なんだから。安心してください。心優しいあなたが不運なはずはありません」

「私ね……」

彼女はひと呼吸おいて言った。

「お買い物していたら、突然なんだか家に帰るのが嫌になったの。この船に申し込んで、乗るまでの時間が長かったわ」

「そうだったんですね」

「それから、ずっと独りでいろいろ考えています。家にいると、私は嫉妬で夫を無視し続けていて、そんな自分が嫌になっていました」

「うん、それは嫌になりますよね」

「あなたはまだ私たちは青春だと言っているけど、それは夢でしかないわ。私は、平野さんと出会ったことで正直、怯えています」

「もう充分苦労されたんだから、ささやかな恋くらい赦されるんじゃないですか。本来の自分の生き方を見つめるのが今のあなたには必要です。僕は七十歳になって老人の切実な夢を見ている。それがあなたを前にして爆発しつつあるんです」

「家庭生活は殺伐としてしまって……。主人は弁解と謝罪を繰り返すだけ。さっきも『赦してくれ』とメールが来ました。勝手ね、男って」

「ええと……」

まったく話が噛み合わないので、私は軌道修正することにした。

「あなたの旦那さんを赦すことと、今、この船で起こっていることについては、分けて考えませんか」

「私と浮気をしたいっていうの？」

「あなたを困らせる気はないんです。事実が、今の事実が怖いんですか」

「これでも私は今の生活を大事にしている……」

「僕と一緒に同じ気持ちで歩いてくれませんか。僕は余裕がなくなってきてしまっている。浮気でいいからなんて話はしてません」

「……船を降りたら、元の生活に戻るんでしょうね。別の生き方なんて……。ゼロからやり直すには歳をとり過ぎています。でも私には救いがあります。神がいます。少しだけどピアノの生徒さんもいるし……」

「恋に年齢は関係ないと思います。人生、それだけですか。もっと異性の優しさや甘さが欲しいと思いませんか」

「平野さんは、そういうのが欲しいから焦っているんでしょうね。私がいいと言う理由が見えません。相手は誰でもいい、というふうに聞こえます」

「誰でもいいだなんて、そんなこと思っていません。とにかく僕はあなたに恋をしてしまったんです。これには理由はありません。今でも毎日あなたのことを思ってドキドキしてしまいます」

「何度も言いますが、私の神様も神父様も、主人を赦しなさいとささやき続けています」

「赦してあげましょうよ。そのような神の言葉で問題が解決されるとは思わない。空想ですよ。ご主人って、どういう人なんですかね。きっとまだあなたを愛しているんでしょう」

「もう七十五歳で、十年も前に退職しました。今は地域のボランティア活動をしていて、そのグループの人妻と浮気していたんです」

「よくある話ですね」

「私の一生って何だったのかなって、最近よく思うの」

「人間の一生なんて、そんなこんなで終わってしまうんでしょう。とにかく今、僕はあなたに参っている。この事実は消せません」

「私も、あれからずっと平野さんのことを考えていました。一緒に地平を歩きたいって、愛を分かち合うってことね。でも……」

「一緒に歩いてください。歩きながら手を握れたらいいなと思っているんです。抱き合えたら、どんなにいいだろうと」

「……私たちは、ほんの一週間前に知り合ったばかりです。お互いのことをよく知らないのに……」

「海風が僕の空洞な心に入って、心を揺さぶったのでしょうね」

「ごめんなさい、まだ混乱していて……」

「あなたはあれから僕を気にしてくれた」

気がつくと、彼女の門限まであと三十分だった。

バーが混《こ》んできたので、星の見える最上階のベンチに移動した。吹く南風が心地好い。

「この前は、変なことをお話しして、ごめんなさい。私は主人が浮気しただけで、もうオロオロしてしまって」

「これから先は人生の見当もだいたいついてますから、恐れず前に進みましょうよ。誰にも非難されることはありません」

「でも……」

「僕ももう若くはないが、今この瞬間に希望を持って生きています。せめてこの船に乗っている間だけでも……。キリストの愛も愛だけど、それだけがすべてじゃない。万人を愛するキリストと、リアリティのある個々の恋とは違うんです」

「私には、神の愛こそすべてでした」

「あなた方はキリストの愛のみですべての人類は幸福になると信じている」

「……」

「ご主人は長い間、あなたを裏切ってきたんでしょ？　そんな仮面夫婦の生活で本当に満足なんですか」

「ひどい言い方……。なぜそんな言い方ができるの？」

「あなたは海を見ながら泣いていたけど、それはご主人の浮気が悔しかっただけ。あの涙はとても美しかった」

「私は主人と四十年をともにしてきました。この長い人生を埋め合ってきた時間はとても消せません」

「これからもご主人に冷たくし続けて、愛も希望もない人生を送るの？」

「愛がないなんて、どうして言えるのかしら」

「その擬制の愛、いったんリセットしましょうよ」

「リセット……」

「ご家族や家事、すべての生活を忘れて、自分の心に聞いてみてください。自分は今、何をしたいのか。今、何が起こっているのか。自分の人生に見切りをつけないで欲しいんです」

「私だって、旅が終わったらどうするのか、考えあぐねているんです。それなのに、突然あなたが遠慮会釈なく現れたのですから、混乱しています」

「その混乱にこそ、今の生活から脱出できるヒントがあるんです」

「……平野さんの書かれた本を読ませていただけませんか」

「え？」

「あなたのことをもっと知りたいのです」

「分かりました。ちょっと待っていてください」

私は急いで部屋に戻り、だいぶ前にロフトブックスから出した『旅人の唄を聞いてくれ！　～ライブハウス親父の世界八十四カ国放浪記～』を手渡した。オビにはキツネ目の男・宮崎学の「アウトロー達よ、世界を駈けろ」という檄文（？）が躍っている。懐かしい本である。

「ありがとうございます。おやすみなさい」

「部屋番号を教えてくれませんか」

「四人部屋で、みんなお年寄りなので……」

そう言って彼女は去ってしまった。

まだ彼女の心は迷っているが、私は思いの丈を口にできて満足だった。

その日から晴美さんとも会えない日が続いた。

気《け》だるい熱気を抱え込んだまま、私は酒も飲まずに独り部屋に閉じこもっていた。

しばらくして、私の部屋に彼女から一通の手紙と、貸してあった本が届いた。それは書道の教科書のように落ち着きが感じられた。

平野　様

ご著書、読ませていただきました。夢中で読みました。

平野さんに比べて私は平凡な日々（小さな波はあったけど）を過ごし、まさに井の中の蛙、とにかくあなたは私とは別世界の方であることを確信いたしました。

一から人生をやり直したいと思ったことは何度もありました。

私もサハラ砂漠やドミニカに一緒に行けたらどんなに楽しかっただろうか、どんな生活ができたのだろうかと想像していました。サハラの月は見てみたいと思いました。

それにはあまりにも時がずれています。

それに比べて私は小さな田舎町で育ち、冒険が嫌いで普通が大好きな少女でした。教会に通い、ピアノを習い、友との語らいや数年に一度の旅行が楽しみでした。

高級ブランド品には興味がなく、聖日礼拝を守って、イエス様の御心にかなう優しく温かい心を保ち、つつましく生きることを願っています。

晴美

追伸　このような生き方もあるとお察しくださいませ。

「やっぱり、イエスが出てくるか！」私は唸った。

ここまでイエス様に頼られたら、私はなすべきことがない。何時間も呆然としていた。文面を何度も読み返し、これは「船」という小さな空間のマジックに陥っているのだとも思えた。

私も船を降りたら、何事もなかったかのように忘れてしまうのかもしれない。でも、「今」は消すことはできない。脱力感が襲ってきた。

パソコンを持って私は部屋を出た。

人の声が聞こえない所を探して、会社の社長や友達にメールを打ちまくった。

周囲は静かで、私の打鍵の音しか聞こえない。

実はこの時、ロフトの社長だった小林茂明はまだ五十代の若さで末期ガンのレベル4に侵されていたのだが、スタッフたちには私に伝えることを禁じていた。もし私が知ったら、すぐに船を降りて帰国するからだ。

そんなこととは知らなかった私は、ノーテンキに「俺は人生に一度あるかどうかの革命的な恋をしたが、破れてしまってめげている」なんてメールを打っていたのである。

「彼女とは、もう終わったのだ」

そう思って忘れようとしていたが、「本当に恋するってすごいな」ということに狂喜しており充実感もあり、あまり落ち込まずに済んでいた。

毎日ひたすら読書と映画鑑賞、トレーニングに明け暮れ、興味あるサークルに顔を出し、老人たちと雑談し、夜はバーで酒を飲んだ。ダンス教室で頑張る気力は失《う》せている。ダンス教室はあまりにも人が多すぎ、優雅とは程遠い運動神経の失せたおばさんたちと手を取って踊るのが億劫になってきたのだ。

あまり誰とも話したくなかった。引きこもってただ一人でいるのが心地好かった。バーでカクテルを飲みながら本を開き、ロックを聴く。ほろ酔いの中、ただ眠くなるのを待っていた。本と音楽と酒と海があれば自分はそれでいいと思った。

そんな日が何日か続いたが、ピースボート・スタッフの磯部弥一に捕まった。どうも私がイベントの担当になったらしい。

「明日と明後日、『日本語ロックを聴く』と『憲法記念日討論』をテーマにナビゲーターをお願いします。パネラーのゲストも用意していますし、もう船内新聞に案内を載せる段取りはできています」

「えっ、明日と明後日……」

まったくそんな気分じゃなかった。

「俺は今、そんな状況にない。ちょっと落ち込んでいるんだ。ムリムリ」

「だって、こないだ『俺は二十年間もトークライブハウスをやってきたんだから、どんな討論イベントでも仕切れる。簡単簡単』って言ってたじゃないですか」

「うーん……」

愛すべき若者の情熱にはかなわない。弥一は、少しでもみんなの心に残るようなイベントを開催したいと望んでいるのだ。

部屋に戻り、思いをめぐらせた。

確かにこの船にもロック好きや憲法問題に関心のある年寄りはいるだろう。それに、私のパソコンには無数の音源と憲法関連の資料が入っている。気晴らしも兼ねてやってみるか……。

一回目の音楽イベント

エジプトのルクソールに着くまであと十日ほどになったが、テロや強盗の事件が多発しているので、寄港しないようだった。

私はどうでも良かったが、ピラミッドを楽しみにしていた人たちは残念だろう。

音楽イベントは夜からなので、昼間はいつも通り読書をして過ごし、夕方はジムで汗を流して食事をしてから会場へ入った。打ち合わせはしたが、リハーサルの時間はない。

いかんせん年寄りは早寝なので、客入りが心配だったが、なんと百二十人くらいはやって来た。大入りである。

有料で酒も出すようにして、ビールを片手にオープニングは長渕剛の『静かなるアフガン』にした。こんなイベントはあまりない。

「ほら　また　戦争かい……」

大手メディアはビビってかけたことはないが、私はこの曲が日本最大の「反戦歌」だと思っている。

残念なことに初めは音響が不調だったが、しばらくすると調子が出てきた。

ＰＡＮＴＡの『マラッカ』や、はっぴいえんどの『風をあつめて』、初期のＲＣサクセションやサンボマスター、ブルーハーツなどを次々とかけていく。

ふと見ると、晴美さんが柱の陰にいるのが見えた。何か言いたそうな顔をしていた。

私はちょっと優越感というか愉快な気持ちになった。

「あんたの趣味はクラシックだろうが……。第一、九時の門限もとっくに過ぎてるじゃないか」

私は心の中でそう毒づき、気づかないふりをした。まるで思春期の中学生のようだ。

女心が分からない私だが、私の深層意識は相変わらず彼女に恋していた。

会場は圧倒的に年寄りが多いが、気づくと二十人くらいの若者たちが後方で踊り始めていた。

「よっしゃ!」

手ごたえを感じた私は、後半は高田渡の『自衛隊に入ろう』、加川良の『教訓I』、森田童子の『ぼくたちの失敗』などのフォークソングも流した。圧巻だった。

参加者は感動して、場内はひとつになった。

終わると乗客やユーゴスラビアから来たというジャーナリストの女性や韓国人が握手を求めにやって来て、「日本のミュージックは素晴らしい!」と口ぐちに言ってくれた。

当たり前だよ、私はプロなんだから……。こうして、みんなが満足する音源をかけるイベントは成功した。

ドアの前に立つ晴美さん

翌朝、海賊対策でピースボートの横にぴったりついていた海上自衛隊の護衛艦「あさかぜ」のエスコートが終わったと船内放送があった。途中、海賊の姿形も見えずに何も起こらなかったことがとても残念に思えた。海賊に会えるなんてとても貴重だったのに。

「ありがとう」「どういたしまして」という意の汽笛の交換があり、護衛艦は私たちから離れていった。船は警戒区域のアデン湾を出て紅海に入ったということらしい。

日中は原稿を書いたり読書をしたりして過ごし、夕方に部屋でこの夜の憲法イベントの資料を作っていると、ノックの音がした。

ドアを半開きにして見ると、晴美さんが立っていた。

不安そうに沈んだ表情で、その体は少女のようにブルブル震えていた。

「どうしたの？」

「……入ってもいい？」声も沈んでいる。

「どうぞ」

彼女を部屋に入れてドアを閉め、私は大きく息をついた。

「お手紙、読みました。残念だけど、もう二度と会えないと思っていました」

突然、彼女は何も言わず狂ったように抱きついてきた。

「私を強く抱いて……」

「えええ……」

「最後に……」小さく言った。

想定外過ぎる展開に私の心臓は高鳴り、心は混乱した。

（違うだろ～!?）

これは一体どういうことだ？

私は彼女を受け止め、震えと同時に股間が熱く勃起した。

私たちは骨が折れるくらい激しく抱きしめ合った。彼女は泣いていた。

「何があったの？」

私は優しく聞いた。窓の外では、彼女の肩越しに赤い夕陽が落ちようとしていた。

つけっぱなしのパソコンからは、友部正人の『ふーさん』が悲しく鳴っている。

私たちは強く抱き合ったままベッドに崩れ落ちた。彼女の黒髪がキラキラしていて、私の手は長い髪を撫で上げていた。

しばらく抱き合って私は彼女の唇を求めたが、拒否された。

「いや！」

「なぜ？」

「いや……」

ブラウスの胸元に手を入れようとしたが、それも拒む。

だが、彼女は私を強く抱きしめる力を緩めなかった。彼女は私の胸に顔を埋《うず》め、嗚《お》咽《えつ》していた。

私は、ただ目を閉じて彼女の抱きしめる力を強く感じるばかりだった。

それは痩せ細った体だった。七十歳にならんとする私たちはまだ一度も寝ていない。それでも私の恋は冷めない。不思議だ。不思議すぎる。

「夫からまた謝罪のメールが来たんです。出て行かないでくださいって……。何年かかるか分からないけど、自分の過ちを償いたい、と」

高ぶる感情を抑えるかのように言う。

「そうでしたか、ご主人を取り戻しましたね。やはりあなたはご主人の元に帰るべきでしょう。幸せを心から願っています」

もう彼女の体を求める欲情は収まっていた。

「私は主人を赦します。神様の名の下に……。私、ピレウス（ギリシャ）で降りて、日本に帰るので、お別れに来ました。もう二度とお会いできません」

「分かっています。帰らないでくださいと言う権利は僕にはない。でも最後に僕は君を……」

「私は悠さんを……」

目と目が間近で向き合った。

彼女は決意したように立ち上がり、私から離れて無言で出て行った。

それはほんの十分ほどのことだった。

細く長い廊下に彼女の声がこだましたような気がした。

彼女の乳房の膨らみの暖かさを腕に残したまま、私は小さくなってゆく彼女の背中を見送った。一度も振り向くこともなく去って行く彼女。

「これで万事いいのだ」

私はつぶやき、どこかホッとした気分になった。

「まいったなあ。また俺は女心に翻弄された……」

私の淡い恋はこれにて終了し、こんな幕切れもあるんだとしみじみと思った。劇的な幕切れと言っていいだろう。


そんなことがあったせいで、夜のイベントは何だか分からないうちに終わった。「恋」という祭りが終わった主人公は侘しい。

一瞬でも私のような老人を狂わせた恋人は夫の元に去ってゆき、私は以前の孤独な生活に戻れると思った。

明日からは、また何の苦痛もなく、苛立《いらだ》ちもなく、恋い焦がれることもなく、自由に生きる身軽な自分がいると思った。

「切ないなあ……」

もうすべてが面倒になり、目も心も閉じてしまえと海に吠えた。

「期待は必ず失望へと変わり、失望はやがて絶望に至る」これは作家・森達也のフレーズだ。私はもう何の期待もしていないと思うことにした。

「さよならだね」心の中で彼女にそうつぶやいた。

時計は午前一時を回っていた。相変わらず閑散としたデッキで酒を飲んでいると、船のPAのチーフである山田がやって来て、椅子に座るなり言った。

「失礼ですけど、今夜の平野さん、おかしかったですね」

「そうかい?」

「何を言っているのかよく分からないし、笑わないし、お客さんいじりもなかったですね。どうかしたんですか?」

「そりゃ悪かったね。ま、そういうこともあるさ。申し訳ない。ちょっと残念なことがあってね」

「そうですか、あのブログの女性ですね。うらやましいっす。平野さんのブログ、スタッフの間ではそれなりに評判です」

「あははは、好きに言うがいいさ。けっこう俺のブログには嘘なく真実を書いてきた。でもさ、もう終わったことだし。まあ一杯飲め。俺がおごるから」

「ありがとうございます」

山田は船でパンク・ミュージックの話ができる唯一の男で、船の音響機材がもう壊れかかっているのに、本部は無関心で困っていますとぼやいていた。

二人で「じゃがたら」や「スターリン」の話をしているうちに、朝になった。

スエズ運河通航

船は赤道を北上し、海風は冷たくなってきた。

スリランカを出て十日以上も海しか見えなかったが、徐々に陸地が見え始める。

ふと目覚めて時計を見ると午前三時。無理に眠るのはやめて、本を読むことにした。

林芙美子の『放浪記』である。

この船では、何時に起きて何時に寝るのも自由だ。誰も文句は言わない。食事の用意も掃除洗濯も必要ない。それがいい。

眠れないまま夜が明けて、美しすぎる朝焼けを見た。

昼頃にスエズ運河に入ると、船内放送があった。

この船の通行料は二千万円だそうだ。スエズ運河やパナマ運河は利権の取り合いで醜い戦争が起こったこともあった。エジプトにとって大変な収入に違いない。

スエズ運河を通過するのは二回目だが、スエズ運河が一方通行とは知らなかった。北（地中海）から南へ行く船は午前中に通り、南から北へ行く船は午後に通るというようにしているようだ。

河口の湖にはスエズ運河を渡る船が五十隻近く集まっている。河口ではエジプト人のパイロット（案内人）が乗り込み、無線で確認しながら運河に入れていく。運河は幅二百メートル、深さ十九メートルだそうで、イルカが泳いでいた。

新運河を航行する我々の船がコンボイの先頭で、両岸に褐色の大地が広がり、所々に小さなイスラム風の集落が点在していた。アフリカ大陸側は緑が途切れることはないが、東側のアラビア半島側はほとんど見渡す限り褐色の砂漠である。

船上のデッキでは、暗くなる時間帯から盆踊り大会が開かれていた。

広場の真ん中には櫓《やぐら》が組まれ、若い連中も爺さん婆さんも浴衣《ゆかた》を着て頑張って踊っている。

あのエロオヤジの村西さんから電話があった。

「お話もあるんで、一緒にサウナいかがですか。そのあとみんなでメシでも」

「いいですね、行きましょう」

その夜、みんなで飲んでいると、エロオヤジの連れの女が「平野さんに熟女を紹介するわ」と言い出した。

「えー」

「もちろん結婚なんか要求しないから、心配はご無用」

「いやいや、もう女は面倒です」

ありがた迷惑過ぎる申し出をやんわり断ったが、今度は一緒にいた知り合いの女性が割り込んできた。

「今度、みんなで平野さんのお部屋に行ってもいい？　個室で本やビデオもたくさんあるんでしょう。私たち四人部屋はとても窮屈なんですよ」

これはなんだか嬉しくて、「どうぞどうぞ」と快諾した。


その日もデッキでゆっくり過ごしていると、村西さんがやって来た。

船がギリシャのピレウスに着く前の日である。

「いえね、何回も平野さんに電話したのに」

「それは失礼。コーラスとかをやってて……」

「いえね、あれから俺と女でいろいろ考えて、平野さんの新しい彼女をこの船の中で捜したんです」

「えー？」

イヤな予感がした。恐怖である。恐れおののいた。

「いえね、その人は旦那に死なれて苦労したけど、子どもたちが大きくなって、世界一周旅行をプレゼントしてくれたんだよ。それで、あんたのことを話したら、けっこう乗ってきてんだよ。私も寂しいって。どう？」

「ち、ちょっと待ってくださいよ。そんな雰囲気じゃないんですよ……」

「だって平野さん、ふられたんだろ？　そうしたら関係ないじゃないか」

「それじゃ、あの恋は偽りだったみたいじゃないですか。あれは浮気心ではなかったし……」

「平野さん、まだ前の女にこだわってるんだ？」

「私の日常ではほとんど出会うことのない女性だったんです。思えばこの何十年も、自分はセックスはしていても、恋愛はしてこなかった。ほとんどの女は、私にとっては寝る対象でしかなかった。それ以外の女には全然興味がなかったんですよ」

「へえ……」村西さんは興味がなさそうだった。

「それが、今回はまるっきり違いました。異次元の世界でした。セックスどころか手すら握らなくても、彼女のことを何も知らなくても、化粧も香水も服もどうでも良くてね。これこそが恋、プラトニックラブに落ちたんだと思いましたよ」

「へえ……」意外そうな顔をした。

「私はね、世俗にまみれていない女性と出会って、それだけでも驚異なのに、肉体を超えて心と心で繋がるつもりだったんです」

「いえね、それでふられたんでしょ」

「まあそうです。彼女はご主人の所に帰る決意をして、この恋は終わりました。当然と言えば当然の話だけど」

そんなことを言っても、エロオヤジには理解できないらしい。

「いえね、船の上ではみんな貪欲ですよ。男は女を探し、女は男を求めている。俺は女連れだから、この船で新しい女はゲットできない。平野さんがうらやましい」そう言って高笑いをした。

確かに終わってしまった「恋」をいつまでも引きずっていても……とは思う。この辺で踏ん切りをつけなければならない気もする。

それにこんな面白そうでスリルのある申し出を断るのは心苦しい。

第三章 ヨーロッパ

地中海・キプロス共和国リソマール入港

まだ日も上がらない薄明かりの中で、あの人の声がまだ聞こえてくる。泣くほどになんともやるせない切ない声がする。

キプロス共和国は、地中海の東端に浮かぶ人口百万ちょっとの小さな島国だ。かつてはイギリスの植民地で、今も英連邦加盟国であるが、ＥＵにも加盟している。島の北部約三十七パーセントはトルコ系住民による「北キプロス・トルコ共和国」だが、これはトルコ共和国が「独立国家」として認めているだけで、国際的には通用しない。いずれにしろこれといった産業もなく、景気も悪いようだ。

キプロスは初めて訪れる国で、ちょっと興奮している。城壁のような石畳の街を一周してみる。

「これでまた新しく制覇した国が増えたなあ」

そんなことで愉快になれる自分は幸せだ。

ヨタさんの自殺願望

船には不思議な人がたくさん乗っている。一人の孤独そうな老人が長いことしょんぼり海を見ている。七十歳は過ぎているだろう。杖を持って足を引きずってヨタヨタと歩くものだから、私は勝手にヨタさんと名付けた。

「生きているのが面倒くさい。今回の旅で、どこぞに死に場所を探している」

ヨタさんは誰に言うともなくそう言っていて、なんとなく放っておけず、興味本位だが心配で観察していた。動いている船の上でも今にも海中に飛び込みそうな雰囲気なのだ。

そこで、食事の時にしょんぼりと考え込んでいるヨタさんの近くに席を取り、「あのー、『死にたい』って、『死んでしまいたいくらい人生が辛い』ということですか？」我ながらシンプルで大胆な質問をしてみた。

「……」

ストレートに話しかけたら、完全に無視された。こんな感じで話しかけるといつだって拒否され、取りつく島もない。当たり前か。

「うるさい、あっち行け」

怒ったように小声で言われた。

こっちはシンパシーを持って近づいているつもりだったのだが、いくら頑張っても打ち解けてはくれない。一杯酒でも飲まして真実を聞き出すしかないと思っていた。そんな機会を狙っていたのだ。私は相変わらずヨタさんが気になっていた。

デッキに出て海風に吹かれていると、ヨタさんがぼんやり遠くの海を見ている。今日はなんとなく機嫌が良さそうに見えたので、「いい天気ですね」と声をかけ、隣りに座った。

「もう三分の一、航海しましたね。いい風と穏やかな海、こんな一日があるなんて、人生捨てたもんじゃないですよね」

「おっ、君か」

なんと珍しくヨタさんが返事をしてくれた。多分まともに返事をしてくれたのは初めてのことだ。嬉しかった。

「君はいつも私を気にしてくれて、ありがたいと思ってた」

「いやまあ、やっぱり気になりますよ」私はちょっとびっくりして笑った。

「おじさんはおいくつになります？」

「七十歳だ」

「じゃあ僕と同じですね。人生は儚《はかな》いですよね。いいことなんかまるでない」とどこか頓珍漢なことを言ってみた。

「実はな、船に乗る前に妻と大喧嘩して家出同然で船に乗ったんだ」

「なるほど、奥様と喧嘩をして死にたくなったんですか。それもすごいですね。喧嘩するたびに死にたくなるのでしょうか？」

「いや、長年持っている病気も回復の見込みがなくて生きているのが面倒くさくなったのが本当の話だ……それで昨日、初めて妻からファックスが届いたんだ」

「仲直りですか」

「そう。『これからあなたの病気のこと、一生懸命助けます。今までのこと許してください。帰ってきたら私を旅行に連れて行って』って書いてあって、突然電話口で大泣きしてて」

「電話口で」

「うん、あれだけ仲が悪かったのに。だから昨日から気が高ぶっていて、そんなの結婚して初めてで……」

「そうですか、それは良かった」

照れ笑いするヨタさんと一緒に笑って、海を見た。

「ビールでも飲みましょうよ」

「いや、私は酒を飲まないけど、コーラなら付き合ってもいい」

心地好い海風がさらりと吹き抜けた。私たちは友達になれたのが嬉しい。

だが、もうそれ以上の会話はなかった。

「本当に死にたかったんですか？　病気はどのくらい悪いのですか？」

本当はそう聞きたかったのだが、諦めた。

その日の海はずっと静かで落ち着いていた。ヨタさんの手には妻から送られてきた数枚のメッセージのコピーが強く握られていて、海風に吹かれながらカサカサと鳴った。

バルセロナにハマった女

船は真っ赤な煙突から黒っぽい灰色の煙を吐き出している。晴美さんとの恋が終わってから、精神力と機動力に欠ける毎日を送っていた。数あるサークルにも参加する気になれない。もう船に乗る前の意気込みは喪失してしまったのだろうか。

その日も、朝からしょんぼりと本を読んでいた。窓から差し込む光が机にカップの影を落としている。

本を読んで疲れたら昼寝をする。夕刻にはジムに行って汗をかき、夜は音楽を聴きながら星を見て酒を飲む。毎日がその繰り返しだ。夜はどうしても眠剤と酒を飲まねば寝つけなかった。時折ロビーで知り合いのオヤジとかおばさんとかと歓談するが、あまり面白いとは思わなかった。井戸端会議で面倒くさいばかりのような気がした。

夕食は一人が一番いい。大食堂でみんなと一緒に食べると、まずは「どこからいらっしゃいました？」から始まる。無視すると嫌われる。いろいろ同席の人と話さなければならないから面倒だ。

九階のラウンジで一人海風に吹かれながらビールで牛丼をかき込んでいると、中年女性に話しかけられた。

「ロフトの平野さんですよね？」

酒場で会ったことのあるスペイン語の通訳の女性で、オーストラリア人の男と一緒だった。いい女だと一瞬思った。

「はあ」

「実は、一年前に平野さんのピースボート乗船記をネットで読んで面白いなと思って、この船の通訳に応募したんです」

「へえ、そうなんですか。それは光栄だ。素晴らしい。ここの通訳の試験って、とても難しいと聞いたけど」

「もちろん平野さんよりもスペイン語はできますよ。もう十七年いるんです」

彼女は笑った。

「ブログではいつも女性をはべらせて楽しそうだったのに、最近なんかいつもお独り様ですよね、どうしちゃったんですか？」

私はちょっとムっとした。

「スペイン語はだいぶ勉強したけど、もう三十五年も前の話で、すっかり忘れたよ。今は幼稚園レベルだが、三十五年前は間違いなく君よりうまかった。そもそもその頃君は生まれていないだろう」

カラになったジョッキを置いた。

「そんなことじゃなくて」

彼女はいつの間にか粘りつくように隣りに座っている。

「前回のブログでは、この船は老人ばかりで嫌になったとか、鬱になったとか血圧上がったとか書いてましたよね。部屋から出られない、早くこの船旅が終われ、って」

「確かにそうだった。船室に引きこもっていた日が多かった。でも、おかげで前回の航海では百冊近くの本を読んで、百本の映画も観ることができた。考えてみれば本と映画好きの自分の人生の中でもとても貴重な旅だった。あんなに本をたくさん読んで映画を観ていろいろ思考していたのも人生初めての経験だから」

「ふうん」

彼女は私の顔を興味深そうに覗き込んだ。

「古典や短編中心だったけど、あの島崎藤村の長編『夜明け前』だってまだ半分しか読めていないけど続けている。俺はやっぱりこのボートにハマってるんだ。自分と向き合い、己を取り戻すにはとてもいい。今回は、いろいろ事件があって日本に帰りたいと思ったことは一度もないよ」

「あたしは、今迷っている。これからの自分に」

彼女はうつむいて言った。だんだん言葉が愚痴っぽく、しかもタメグチになってきたが、気にはならなかった。

「もう十七年バルセロナに住んでて、青春をみんなバルセロナに捧げたって感じ。でももうそろそろ卒業したいなって。平野さん、何とかしてよ」

「そうなんだ」

「日本に帰っても何もないし、不安しかない」

彼女の声はかすれて聞き取りにくくなっていた。聞きそびれたが、バルセロナで嫌なことでもあったのか。

「この女はもう日本人じゃないですよ。だから日本に帰るのは無理ですよ」

オーストラリア人の男が英語で口を挟んできた。

「バルセロナみたいな人気のある観光地で、スペイン語ペラペラなら稼げるしモテるだろ」

「日本人の観光客相手に収入は得ているけど、全然モテてないよ。どうにかしてよ」

彼女は長い髪をかきあげ、美しい目で睨んだ。

そんなことを話していると、また私のまわりには人の輪ができていた。

こんなどうでもいい会話にはすぐ飽きてしまい、私は焼酎のお湯割りをオーダーして独りデッキの最上階に出た。

満天の星と黒い波を見ながらいろいろなことを思い出し、ほろ酔いでロックのリズムに乗りながら船の揺れに合わせて腰を振って踊った。

四十年前のバルセロナ〜真冬のピレネー山脈を越える

私たちはバルセロナオリンピックが開かれた地にやって来た。四十年も前になるだろうか、世界を巡る貧乏旅行（バックパッカー）を始めたばかりの時代が思い起こされた。あの時代から比べるとバルセロナは本当にキラキラするくらいの明るい都市に変貌したようだ。街全体が南国の光の中にある。

お金の北米、女の南米、歴史のアジア、耐えてアフリカ、退屈なヨーロッパ、問題外のオセアニア……。私がバックパッカーとして世界を回っていた四十年前は、こう言われたものだった。まだ沢木耕太郎の名著『深夜特急』もガイドブックの『地球の歩き方』もない時代だ。

物価が高く、何にでもカネがかかる北米、女性たちに情があって優しい南米、見るものや感じるものがたくさんあるアジア、何かと不便だが耐えた末の充実感があるアフリカ、歴史があって、交通網が整備されていて、それなりに安全で泊まれる所もあるがゆえに拍子抜けするヨーロッパ、そして、子どもでも行けるオセアニアには語るものがない、といったところだ。

私が初めてスペインを訪れた時は、まだフランシスコ・フランコの独裁政権が続いていた。フランコは一八九二年生まれで、ドイツのヒトラーとイタリアのムッソリーニから軍事支援を受けてファシズム体制を確立した。それ以来、一九七五年に八十二歳で死ぬまで反共・反民主主義を掲げて国民を独裁体制で抑圧したのである。

私が訪れた頃は、バルセロナには反フランコ勢である人民戦線派で傷ついた兵士の残党もたくさんいた。街は寒々として明るさはまったくなく、ただ暗かったのを覚えている。

ファシストとの内戦に敗れた外国義勇軍の兵士らがバルセロナから冬のピレネーを越えてフランスに逃れたルートを旅した。この内戦をめぐっては、作家のジョージ・オーウェルやアーネスト・ヘミングウェイ、写真家のロバート・キャパらが取材を続け、大々的な戦場マスコミ報道が繰り広げられていた。ジョージ・オーウェルの『カタロニア讃歌』は私の愛読書でもある。スペイン人民解放戦線はファシストを恐れるヨーロッパ諸国からもできたばかりの社会主義国、ソビエトのスターリンからも無残な裏切られ方をして敗北してゆく。

私は、世界の若き芸術家たちが反ファシスト市民戦争に参加して傷つき、敗れていった時の気持ちを想像しながらピレネー山脈の麓のフランスとスペインの国境にある小さな国・アンドラも訪れた。そして雪がしんしんと降り積もるなかピレネーを越えた。

ギリシャはサントリーニ島へ〜着岸ツアーに参加

エジプトには政情不安のため寄港できなかった代わりに、船はギリシャのサントリーニ島に立ち寄った。エーゲ海に浮かぶサントリーニ島は、火山活動で形成された三日月形の不思議な観光の島だ。名前だけは知っていたが初めて訪れる島だ。その美しい「青」の海と「白」の建物のコントラストは見事だ。風景はとにかく素晴らしい。陽は燦々と輝いて紺碧の海を照らし、断崖の上に白い家々が小綺麗に並んでいる。乾いた風とエメラルド色の海のせいか、ピースボートのオンボロ船も優雅に見える。この風景を見るために、例年多くの観光客が訪れる。

ヨーロッパの観光地などどこも同じだと思うが、その国を訪ねた記念に「そこそこ有名な観光地」を見ないと、観光客としてはなんとなく気も落ち着かないし、土産話にも事欠くのである。

以前は「旅行会社のお仕着せツアーに参加するなんて旅人の恥。行きたかったら自分で鉄道や航空券を買って、泊まる部屋を決めて、至る所で失敗や感動を繰り返しながら自分の力と脚で行け」と思っていたのだが、ツアーに行ってみれば、やはりそれなりに楽で便利だし、必要経費も安い。とはいえ気持ち悪いこともたくさんある。

基本的にツアー中の食事も全員一緒なのだ。多い時には何百人にもなって大きな食堂が日本人でいっぱいになる。それだけでも異様なのに、オーダーはピースボートのスタッフや通訳が日本語で聞き回る。ツアー客たちは食物の注文だけでなく、落としたフォークを拾わせ、トイレにも案内させる。

すべて日本語で済んでしまうので、外国に来ている感じがしないし、緊張もない。ツアーの参加者は現地の人々やレストランの従業員と会話することはほとんどない。ツアー客なんてそんなものなのだが、私は取材も含めて隣り合わせた老人には必ずインタビューする。

「どちらからいらっしゃったんですか?」

「お歳は?」

「なぜこのボートに?」

気を悪くする人はほとんどおらず、みんなそれなりに素直に答えてくれる。

当たり前だが、「仕事をリタイアしたばかりでのんびりしたい」とか、「世界一周は一生の夢だった」「息子たちが航海の費用を出してくれた」とか、ちょっと生活に余裕のある人ばかりである。私にとってそれほど興味のある人種ではない。

サントリーニ島の高台はケーブルカーで往復することができるが、私は一人時間をかけて長い階段で行ってみた。ロバが観光客を待っていて、お土産物屋が並んでいる階段だ。東京の高尾山に登るくらいの長さだろうか。

紺碧の海を見下ろしながら、ようやくこの地に来た達成感を得た気がした。

サハラ縦断の旅

また昔の過酷な旅の話は続く。

こんな私でもさすがに「もう無期限放浪の旅は終わろう。疲れた」と決意したことがあった。

バックパッカーで世界を回り始めて四年を経た一九八七年。三十七歳だった私は、最後の挑戦としてサハラ砂漠を縦断するためにケニアのナイロビからアフリカはナイジェリアの首都ラゴスに入った。

ラゴスからベニン、ニジェール、マリ、そしてヨーロッパの玄関口であるアルジェリアまでは約二千キロの旅である。この旅で、ひとまず世界放浪を終えるつもりであった。

世界最大の砂漠であるサハラは面積はアフリカ大陸の三分の一を占め、アメリカ合衆国と同じくらいの広さだ。東はエジプトと紅海、西は大西洋、南はニジェール川、北はアトラス山脈と地中海に接している。

砂漠で最も広いモーリタニア共和国は首都ヌアクショットを中心に二千五百万人ほどが住んでいる。けっこうな人数が住んでいるのだ。ちなみにポスターでよく見る広大な砂の海のような美しい砂漠は全体の三割で、あとは石ころばかりの瓦礫である。

この地域の治安は最低で、ラゴスのムルタラ・モハンマド国際空港からイミグレーションの係官にいわれのない賄賂《わいろ》要求に抵抗すること二時間、百ドルの要求を十ドルに値切った。街に出た途端に内戦にぶつかった。集会を開いている市民を馬に乗った警官が鞭で追い回し、遠くから砲撃の音が聞こえる。街のほとんどのビルの上階は爆撃で吹き飛んでいる。

「えらい所に来ちゃったなあ……」

私は、ラゴスのYMCAに向かいながら独り呆然と街を見回した。

当時のバックパッカーの間で「一番行きたくない国」はナイジェリアだった。特にラゴスは最低である。

ナイジェリアに限らず、石油だけで成り立っている国はどうも苦手だ。それに、何でも賄賂を要求され、賄賂の値段が半端でない。賄賂ですべてカタがつくのも嫌だ。私は旅の最後に世界で最も厳しいルートを制覇したかった。それが自分に対してこの四年間の「旅」を終われるけじめだと思っていたのである。

その前に滞在していたケニアの首都ナイロビのゲストハウスで「アフリカの旅を甘く見ては命を落とす。ここは想像を絶する暗黒の世界だ。ちゃんと正確な情報を収集してからサハラ砂漠を渡りなさい」と何度も言われた。

政情が不安定なアフリカは、一夜のうちに状況が変わることもしょっちゅうだ。突然ボーダー（国境）が閉じられたり、政変が起こってゲリラと戦争状態になったり、外人旅行者がビザを取り上げられて一カ所に集められたりするのも珍しくない。

もちろん邦人の行方不明事件も多く、ナイロビのゲストハウスの壁には「尋ね人」のチラシがたくさん貼ってあった。

さらに私はエチオピアでマラリアにかかって入院しており、ケニアで二週間の養生を経てのサハラ挑戦だった。本当に無茶なことをした。若いからできたことだ。

そもそもサハラには道がない。道路は一夜の強風で消えてしまう。

その道なき道を、古ぼけた商隊トラックが数台のチームを作って砂漠の各都市を回ってヨーロッパへの玄関口アルジェまで行く。海を隔ててフランスのマルセイユがある。トラックの運転手と料金の交渉をして荷台に乗せてもらい、二週間ほど砂だらけで何もない砂漠を揺られていくのである。一日中砂埃の中を走り、荷台に乗っている私は埃だらけになる。もちろん柔らかいベッドもなく、風呂やシャワーなどあるわけがない。

途中、何度もタイヤが砂にはまって動けなくなるので、一緒のトラックが引き上げるのだ。

夜飯はわずかばかり残っているブッシュに隠れた野生の鹿を追い回し、その肉をスープにして食べる。もちろん野生の鹿を捕まえるのは違法だ。彼らが鹿の首をはねるところを私が写真に撮ろうとしたら怒鳴られた。熱心なイスラム教徒のドライバーは、毎日車を止めてメッカに礼拝を繰り返す。私にもやれと言う。

「サハラにいらしたんですね。砂の海はいかがでした？　星空の感想は」

そんなふうに聞かれても、まったく覚えていない。

「あと何日、砂の上で寝るのをガマンするんだ。この訳の分からない下痢ばかり起こすアフリカ料理にも。そうすれば、この旅は終わる」ただ早くこの旅が終わることを望んでいた。

マラリアの再発が怖かった。毎日、それだけを考えていた。

悪戦苦闘の中、何とかアルジェに着いて日本大使館に行くと、係官たちが集まってきた。

「あの集落を通ってきたんですか？　今そこはどうなっていますか？」なんて質問がたくさん飛んでくる。サハラの周辺には日本大使館がほとんどない空白地帯なのだ。彼らはサハラの生の情報をとても欲しがった。大使館にはほとんど情報が入ってこないようだ。

「タマランセット（アルジェリア南部）で行方不明の日本人の噂は聞きましたか？」

いろいろなことを矢継ぎ早に聞かれたが、ほとんど役には立てなかった。

興奮のギリシャ・ピレウス港入港

江藤淳の『海は甦る』を読む。帝国海軍の父と呼ばれる山本権兵衛の半生を描いた長編歴史小説だ。

ギリシャ最大の港ピレウスに入港する。初めて私が乗った二〇〇八年の船でリーマン・ショックをこの地で味わった。さらにピースボートは故障続きで、結局は二週間も修理のためにこの港に停泊し、ついには船を乗り換える引っ越しがあった思い出の港だ。

この美しすぎる港は二〇一六年に中国海運最大手の中国遠洋運輸集団（コスコ・グループ）が買い取ったことが報道された。嫌中色の強い日本のメディアは叩いていたが、日本も「通ってきた道」ではないのか。

一九八〇年代の不動産バブルの時代、日本の企業がニューヨーク市内のビルを買い漁って国際的に問題になったが、ヨーロッパ人にとってピレウス港買収はこの時と同じくらいショックなのだそうだ。

二〇一〇年に財政危機に陥ったギリシャは、二〇一八年までEU（欧州連合）とIMF（国際通貨基金）からの金融支援を受けたが、その後も経済情勢は低迷していて、治安がかなり悪く、スリや置き引きの被害が多いとの話もある。黒人の窃盗団もいると言うが、アフリカからの不法入国者に対する差別もあるのだろう。

ピースボートの客たちはほとんどがパルテノン神殿などに出かけており、船内は静かだ。私は歴史的な建造物には興味がなくなっていたので、ツアーには参加しなかった。いつもは長蛇の列ができるレストランもひっそりとしている。

私も散歩がてら船を降りて街に出てみることにした。

港を回って見て、Wi-Fiの繋がるスターバックスコーヒーに入ってメールをチェックし、原稿を送るなどしてから、三時間ほど周辺を歩いた。歩数計は二万五千歩ほどになっていた。

初めての航海、亡き妻と一緒に

夜になったら風が強くなってきた。

風で海が鳴り、雲が飛び、雲の向こうに夜の青空が見える。

船灯を光らせながら慌ただしく出入港するたくさんの船を見ながら、私はまた酒を飲んでいた。

ふと、先日名刺を交換したオヤジのことを思い出し、電話をかけてみることにした。

名刺には「デルタクラブ艦船研究会」とある。

物静かな男で、「いつも独りで部屋にこもってばかりいる」と言っていたので、気になったのだ。

「先日、食堂でお話しした平野です。今、上階の居酒屋で飲んでいるので飲みに来ませんか」

そう言うと、彼はとても喜んですぐにやって来た。ビールで乾杯してから、私は聞いた。

「初めての航海とおっしゃってましたよね」

「そうなんです。お年寄りが多くて、ちょっと驚いてます」

「そうでしょうね。私も初めての時はビックリして、養老院にいるみたいで引きこもってました」

「そうだったんですね」

「ところで、名刺の肩書が気になってるんですけど」

私は率直に聞き、彼もすぐに答えた。

「私は造船所に四十五年勤めまして、二年前に妻が亡くなって退職しました。妻とは前から『ずっと船を作ってきたのに、外国航路の船に乗ったことがなかったから、退職金で一緒に乗ろう』と約束していたんです。だから、今、妻との約束を果たしているところです」

首からかけたカードケースには、亡き奥様の写真が入っていた。

「そうでしたか……。奥様でしたか。人生もっとこうしておけば良かったと思い出す人はたくさんいますよね。素敵ですね」

「私は酒飲みだから……妻には迷惑ばかりかけました……。本当に……」

遠くを見た彼の目には、薄い涙が光っていた。

「……奥様を愛していらしたんですね」

「そんな、愛だなんて……」

「歳を取れば、すべていい思い出に変換されるように人間の脳はできてますよね。奥様の望みを今果たされているなんて、素晴らしい」

「……ずっと船を作ってきたなんて、いいですね。私は海が大好きなんです」

ちょっと間を置いて言うと、港に泊まっている船の種類や性能を説明してくれた。

「あれは下のほうに窓がないから、カーフェリーですね。あっちは給油船。修理船もいます。その隣りはタグボートで、港内の大型船を港外まで引っ張っていくんです」

「さすがですねえ」

「でも、今は造船技術者になる若者が減っていて、日本の造船業は壊滅的です」

「うーん……。そうですか。まあ、どこでも技術者不足は同じでしょうね」

そんな話をして夜は更けていった。

見送る薄影……それは私

翌日も船はピレウス港に停泊していたが、私は終日船で過ごした。

晴美さんが今日ピレウスを発《た》って日本に帰ると言っていたので、久しぶりに早く起きて私は彼女への別れの手紙を書いていた。若干未練タラタラのメッセージになってしまったようだ。

雲ひとつない青空に、穏やかな風。海には波もない。

まぶしい光の中を最新鋭の豪華なクルーズ船が無数に出入りしている。

これらの船を見ている限り、この国は財政が破綻していてヨーロッパ諸国のお荷物で、今にも潰れそうな状況には見えない。

親愛なる晴美さんへ

覚悟はできていたものの、やはり「別れ」は愕然として力が抜けてしまいます。

もう私たちの別れの儀式は終わりました。あとはピレウスであなたが去ってゆくのをデッキの上から見送るだけです。

私もまた歳をとりました。

残された時間の中で友情を深め、体力が許せばまた旅をしたいと思っています。

いずれにせよ、この限りある一生をなんとか充実して生きる道を探します。

今はただあなたには感謝あるのみです。

あなたがご主人の元に帰ると決意してしまったのですから、こんな結果になったにもかかわらず、なぜ感謝と感動の気持ちを伝えるのか、ご理解ください。

私はこの船上であなたに出会い、「恋という内なる革命」をあなたが起こさせてくれました。画期的でした。七十歳にもなるというのに数十年ぶりに心に刺さるような恋を体験しました。私だって不倫はしたくありません。不倫は、始まりは簡単ですが、出口のない迷い道だと思います。

私のあなたと別れたくないという思いは、自己愛に過ぎないわけです。

「ただただあなたの信じる神に祝福を！」

さようなら。好きでした。お元気で。ありがとう。

平野悠　拝

午後四時。船から降りる人々を九階のデッキから見送ることにした。彼女が船を降りるのを笑顔で見送ろうと思っていた。

気持ちはとても感傷的だ。小さくなっていく彼女が見られるかもしれないと思って、長いことドキドキしながら船を見ている。

船を去るお客さんの顔が小さく見えた。知った顔がたくさんある。イラクの医療支援NGOの佐藤真紀さん、ユーゴのジャーナリスト、ピースボートのスタッフ……。

入れ違いにここから乗船する百六十人近くの乗客がトランクを持って乗船してきた。

だが、船を降りるだろう晴美さんが見当たらない。どうしても見つからない。私は急いで階下に降り、イミグレーションのカウンターまで走った。会ってどうしようとか何を言おうかなど考えなかった。ただ笑顔で見送りたかった。もう一度会いたかった。写真の一枚も取らずに終わった私たち。残念だと思った。だが彼女が見つからない。いやそんなことはない。ピレウスで降りて日本の夫の元に帰ると言っていた。でも見つからないのだ。

風に吹かれて私はデッキで呆然と立ちつくした。

こういった別れも、ロマンと幻想を残してなかなかいいのかもしれないと思った。彼女が去っていこうが残っていようが、ちゃんとこの港で降りてくれれば、この重い私の肩の荷も降ろせる。

でも、もし彼女がまだ船を降りていないようだったら、また何か起こるような予感もした。

あの日、突然私の部屋に来て「抱いて」と叫んだように、きっとまたドラマは起こるかもしれないと思った。

港は夜から雨模様になった。

濃い灰色の雲が地中海をセルロイド色に変え、重くしている。寒かったが、デッキで独り暗い海を感じ、センチメンタルな感傷に浸りながら飲んだ。

夜の地中海の湿気を含んだ海風に誘われてか、チーフクルーズ・ディレクターの田中洋介がつばの広い帽子をかぶってやって来て隣りに座った。この男は船では船長の次に偉いらしい。

「平野さんのブログ、読んでます。今日船を降りると言った彼女、今この酒場にいるでしょ？　だいたい見当はついているんです」

そう声をかけられた。

「え？」私は混乱した。

「彼女はピレウスで降りたはずだ。そもそも彼女は酒を飲まないから、酒場には来ない」

「いいえ、私は仕事柄いつも全員見送りますが、彼女はいませんでした。今日降りたのは十六人でしたから。クリスチャンでコーラスをやっている方ですよね？　多分降りてないですよ」

「そうか……」

彼女はまだ船にいるのか……。

私は混乱し、遠くの夜の海に目をやるしかなかった。月は好奇心で下界を照らしている。舞い上がる雲からゆずの匂いがした。少しずつわずかに色づいてゆく月は今沈む。

「平野さん、いつもサングラスと大きなヘッドフォンで格好いいですね」

「そうか？　俺はいつも音楽を聴いていたいから。サングラスはただのポーズだ」

お気に入りのノイズキャンセリングのヘッドフォンを褒められて、私はちょっと笑った。

「独りで酒を飲んで音楽を聴きながら海を見るの、いいですよね。僕も本当は寂しがり屋だけど、独りが好きなんです」

「寂しがりと孤独が好きって矛盾してるけど、俺はA型で孤独好きってシンプルで奥が深いんだよ」

「わあ、僕もA型なんです。同じですか。嬉しいな。ほんと自分が寂しい時だけ他人と一緒にいたいっていう、ちょっぴり身勝手なところもありますが、心が通じない寂しさと、孤独な寂しさは違いますよね」

「うん。他人との関わりを諦めていれば、精神的には救われる……って、俺はいつも言うんだけど……。独りでいる時の心地好さと、独りでいる時の心もとなさが同居する日常っていう感じだよね」

「まさにその通りですね」

「今夜は、このことが言いたくて……。孤独願望の深層心理だね」

田中は気持ち良く相槌を打つ。彼が乗客から愛される理由が分かった気がした。

話しているうちに夜が更けていく。

あまりにも夜は大きく、人間は無力だ。船は少し荒れた地中海を進む。

シシリー島へ～久しぶりのイベント参加

今日の目覚めは悪くない。天気もピーカンだ。なんとなく精神はスッキリしているし、頭もしっかり回っている。

朝食を終えてパソコンに向かっていると、遠くから聖書を読む会の賛美歌が聞こえてきたので、私も後ろのほうから途中参加してみんなと賛美歌を唄って、私の心も洗われた。賛美歌は不思議だ。まさにゴスペルなのだと思って唄っている。でも、彼女はいない。やはりピレウスで降りたのか。

午後にはコーラスの会にも参加した。基本の発声練習に続いて『花』や『赤とんぼ』を唄う。ここにも彼女はいなかった。

夕方には囲碁コーナーを覗き、「一局いかがですか」と誘われて、ちょっとやってみることにした。相手は「自称」二段だ。

私の腕前は、囲碁は初段、将棋は四級くらいだと思っている。この日は頭が冴えていて、よく読めた。もうトシなのだが、意外に自分の脳が使えて嬉しくなった。

この自称二段とは二番続けて勝ったので、本当に悔しそうに挨拶もせず去って行った。

心の中で「うひひひ」と笑い、歓喜の喜びを味わった。こんなに気持ちがいい瞬間を味わったのは久しぶりだ。

隣りでは麻雀の音がうるさかった。初めて麻雀を覚えたオバサンたちが狂喜している。鼻の下を長くしたオヤジが教えている。初心者はチョンボの連続だ。ゲームが中断されてもみんな優しいから笑顔で耐えている。もちろんカネを賭けるのは厳禁だが、私はそんな麻雀はやる気が起きない。何度か麻雀を付き合ったが、お金をかけない麻雀ほどつまらないものはない。私は役満しか狙わないと宣言をした。みんなが呆れて、それ以来麻雀には誘われなくなった。

村西さんの来襲〜お見合い

夕刻、いつものようにジムで三キロほど走ってサウナに入り、オープンデッキでビールと玉井の夕食を取っていると、例の村西さんがやって来た。

「いえね、平野さん。例の件、話をつけましたよ」

「例の件？」

「いえね、今夜九時にカサブランカで平野さんの〝お見合い〟をすることになった」

とニコニコしながら言った。

個人的にはありがた迷惑だが、これも原稿のネタになるかもしれない。それに、このエロオヤジはなんとなく憎めない。

食事を終えて約束のバーに入ると、村西さんとその連れ合いの女、そしてもう一人のオバサンがウイスキーを飲んでいた。

すでに西村さんが私のことをいろいろ喋っているようだった。

挨拶して座り、彼女を見た。恥ずかしいというよりも、「このオバサンとお見合いしてお付き合いするのか」と思ったら、とても失礼だけど苦しくなってきた。

感じは決して悪くないし、ノリもいい。でも私の気は乗らない。

だが、ふと「俺はこの女性と恋を語れるか」と考えたらムリだった。

短く切ったごま塩頭の女性から「恋」を語るような色気は微塵《みじん》もない。

「まいったな〜」

そう思い続けてテンションは上がらず、ひたすら酒を飲む自分がいた。

むしろただ「寝る」だけが目的だったら、OKだったかもしれない。でも、そんなことは失礼すぎるし、この船内で追いかけられたら逃げる場所がない。

どうやってこの場を逃げ出すかばかりを考えていた。

適当に話をしながら時間は過ぎ、村西さんがトイレに立ったので、私も一緒に立った。

「村西さん、あの女性とデッキで手をつないで歩けると思う？」

二人並んでションベンをしながらの会話である。

「いえね平野さん、女性なら誰でもいいというものでもないし……。やっぱり気に入らないか……」

「恋人にする雰囲気はない。無理だ」

「うん、そりゃそうだ。納得」

「そうだろ？　そうしたら今夜のところは勘弁してくれ。なんとかこの場から逃げさせてくれ」私は悲痛な声で村西さんに話す。

席に戻ると、村西さんが「平野さんは原稿の締め切りが迫っていて、部屋に戻る時間だ」と言ってくれて、私一人が席を立った。

ひとまず義理は果たせてほっとした。

エロオヤジも悪気はないのだが、相手の女性には本当に失礼した。ただただ謝るばかりである。

村西さんの「浮気の挑戦」

私は失恋してからずっといじけているが、そんな私を癒やしてくれるのは、村西さんだ。村西さんの豪快な話を聞いていると、楽しくなってくる。ピースボートで性豪と知り合うとは夢にも思わなかった。

サウナで会うたびに「昨夜と今朝で二発やった」と自慢するので、そのたびに大笑いする。

「いえね、平野さんも寂しいでしょ？　今度は平野さんが気に入る後腐れのない女を紹介しなくちゃね」

これが村西さんの口癖になってしまい、一回の失敗があっても連れの女と一緒に〝愛人探し〟に躍起になってくれているようだ。

ありがた迷惑でしかないのだが、面白いし、貴重な存在なのだ。

こんなことも言われた。「いえね、俺が平野さんと仲良すぎるって、女がヤキモチ焼くんです」

「ええ？　毎日ヤってるのに」

大型船とはいっても所詮は船。狭い世界だからこんなことも起こるのだろう。

「絶対秘密だよ、俺の彼女にもだよ」

村西さんが私にささやいて、アヤしげな錠剤を数粒くれた。

「何ですか、これ」

「いえね、インドから直輸入したバイアグラなんです。コレ効くんだから。もうビンビンになりますよ。おすそわけ」

そう言って高笑いをした。

「へえ……。実は、俺はまだバイアグラを使ったことがないんです」

「一度は試してみてくださいよ」

「ありがとう。衛生的には大丈夫?」

「そんなことは知らん。今さらそんなことを怖がってどうする」ととぼける村西さん。

私は苦笑しながら受け取ったが、この船で使う相手を探す気力はない。この薬のために無理やり女性を口説くのは嫌だなと思った。

古希を過ぎたロクでもない二人の男のエロ話は続く。まあいいか。サウナには他に誰もいない。

「いえね、平野さんにお願いがあるんです。俺が狙ってる女を飲みに誘ってほしいんです」

「ああ、いつもモーションかけてる四十歳くらいの婦人ですね。確か博多かどこかの」

「そうです。いやね、平野さんと飲んでいてもらえれば、私が偶然を装って仲間に入り、彼女とお友達になりたい」

「なるほど、お友達ね」

「それで平野さんが飲みに誘って、俺が途中で通りすがったようにご一緒する。それでしばらくして平野さんは『用がある』と言って消える。それで、いい感じになったら部屋を貸してもらえませんか」

私は村西さんの妄想力に苦笑しながら言った。

「そんなカンタンにはいかないでしょうけど、部屋を貸すのはかまいませんよ。でも、愛人にバレても知らないからね」

愛人を連れている村西さんにとって船の中で浮気するなんて難しいけど、これは面白くなってきた。バレたら大騒ぎだし、絶対にうまくいくはずないと思いながら無責任に考えていた。

村西さんが狙う女性をバーに誘い出すことは簡単だった。船の上ではみんな退屈だから、顔見知りなら誘えばほとんどやって来る。私の任務は、なんとか村西さんが来るまで彼女とあれこれ話しながら飲むことだった。

こうなると、なんだか犯罪に近いか。私はあまり気乗りせず、ひたすら飲むしかなかったが、彼女は博多出身で「めんたいロック」に詳しかったのは驚いた。めんたいロックとは福岡発祥のロックという意味である。ＡＲＢ、ルースターズ、シーナ＆ザ・ロケッツ、陣内孝則のロッカーズと……。

「詳しいねえ」

「地元なんで」

彼女は村西さんに狙われているとも知らず、私とロックの話をしたくてやって来たのだ。美人というわけではないが、色白で、黒髪が素敵なアラフォーである。

三十分ほどすると、村西さんが素知らぬ顔でやって来た。

「お、一緒に飲みましょうよ。こちらは村西さん」

「よろしく」

彼女もうなずいた。

しばらく三人で飲み、彼女がトイレに立った時に村西さんが小声で言った。

「部屋は大丈夫？」

「いいけど、そんなにうまくいくとは思えないよ」

「まかしとけ」

「セクハラとか強姦で訴えられたら強制下船だよ」

私は冗談半分、本気半分でバーを出たというより逃げ出した。

結論から言うと、村西さんの計画は失敗に終わった。

「しばらく話していて思い切り単刀直入に、君と寝たいと言ったんだ。そうしたらすっと立ち上がってどこぞに消えやがった」

「当たり前ですよ。それはまさしくセクハラですよ」と私は言うが、村西さんは全然平気だ。口説きが成功せず、私の部屋には来られなかったのだ。村西さんはそのことは気にしていなかったが、後日なんとこの件を愛人が知ってしまったのだという。

「いやね、もう大変でしたよ」

「なんでバレたの？」

「いやね、女の勘ですかねえ。『あんたの旦那、バーで女性と飲んでいたわよ』というチクリがあったそうだ。嫉妬はホント怖いですよ。コップやそのへんのものを投げつけられるわ、服は破られるわで、昨日から部屋に帰れていないんです」

「あはは、そりゃタイヘンだな。当分は俺の部屋にいるのもいいよ」

そう言ったが、村西さんはやって来なかった。どうやらデッキのベンチで寝ているらしい。毛布ひとつで満点の星空の下ベンチで眠るのも、村西さんには薬になっていいのかもしれない。

カターニャ　六十一回「同窓会」

朝八時半にイタリア共和国のシチリア島東部にある港町のカターニャに寄港する。総勢百五十人ほどのツアーで、一日観光、昼食付きで一万八千円だ。カターニャは人口三十二万人と意外に大きな街で、二〇〇二年にユネスコ世界遺産に登録されている。

この日は快晴で、有名なエトナ山がうっすらと見えた。

高台からは美しい地中海が一望でき、風はさわやかだ。歴史ある街だが、見るべきものは中世の大学や発掘された円形劇場などの建物くらいである。ヨーロッパのどこもが同じに見える。

夕方に船に戻り、いつも通りジョギングとヨガのメニューをこなして食事をしてバーに行くと、あの弥一がやって来た。

「平野さん、探しましたよ」

「今度は何だっけ？」

「今夜はピースボートの六十一回航海の同窓会ですよ。平野さんは有名人なんだから、来てくれないと困ります」

「そんなの知らないよ」

「ちゃんと今日の船内新聞に載せてますよ。写真撮影だけでもお願いします」

居酒屋ではいろいろな集まりの飲み会が開かれる。夕方からショボショボと降り出した雨はやんでいたが、雨に濡れたデッキは閑散として誰もいない。

「まあ行くよ」

そう言って、終わりかけている宴に顔を出した。

「平野さーん、ようこそ」

「こちらにどうぞ」

みんなに優しく迎えられて恐縮した。席には前回のツアーの時の見知った顔もある。思えば十年も前の航海だ。あの時は船体に穴が開き、エンジンが壊れて船を交換して二カ月近くも帰国が遅れるという事件があった。

勢い上がる団塊世代は怒って署名運動が起こり、反乱軍までできてしまい、訴訟沙汰にまでなっている。

私はピースボートをリスペクトしているので、反乱軍には入らない。

「コタキナバルでお会いしたの、覚えてらっしゃいます？」

席に着いて間もなく、六十代くらいの隣りの美しい婦人から声をかけられた。黒っぽい衣装と黒のストッキングが怪しげで素敵だ。

「え？」失礼だけど、ぜんぜん覚えていない。

「六十一回のツアーでは、コタキナバルには行っていないはずですが」

「いえいえ」

彼女はほんのりと笑って言った。

「二週間前です。私はあなたに助けていただいたんです。命の恩人ですよ」

「ああ、あの時の……動物園の出口のところで、熱中症でかがんでいた」

「そうです」

「いやあ、たいしたことしてないけど……。あの時のオバサンは、こんな美人でしたか。こりゃあまいった」

私は笑いながら言ったが、けっこうマジであった。あの時はまったく興味がなかったのだ。彼女も笑っている。麗子さんといった。

夜の十時頃になって写真撮影も終わり、散開の時間になっていた。彼女も「おやすみなさい」と言って帰っていった。酒は飲まないようだ。

「しまった！　またしても部屋番号を聞いていない」

ついそんなことを思ってしまったが、とても残念に思う気も彼女を追う気力もなかった。

地中海へ～六十五歳の麗子さんは生涯独身

地中海は美しいが、船は北に向かっていて意外に寒くなっていて、夜のデッキはセーターが必要だ。航行する艦船とはほとんど出会わず、地中海の広さを思う。

ちょっと風邪気味だったが、思い立って午後のお茶会に参加した。この船では早朝と午前十時と午後三時に無料のお茶の時間がある。

海の見える食堂で独り紅茶とショートケーキをほおばっていると、麗子さんを見つけた。ティーカップを持って声をかけた。

「こんにちは、あなたの命の恩人です。座ってもいいですか」

「あら、平野さん」

麗子さんは驚いたが、すぐに「どうぞ」とにっこりしてくれた。

「ありがとう」

私は座るなり、無遠慮に言った。

「昨日の偶然の出逢いからあなたのことを考えていました。いろいろな偶然が重なって、因縁を感じてます」

「はあ……」

彼女は静かに聞いていた。

「あなたは何者なんでしょうか？　あなたのことを知りたいです。一人で船に乗られたんですか？　ご結婚は？」

なんだか口説きにかかっているる感じの話し方になっているような気がした。

「……」

急な質問の嵐に彼女は答えず、私も黙って紅茶をすすった。

「あーっ！　飛び魚！」

不意に近くの席の女性が大声を出し、みんなが近くの窓から海を覗き込むが、私たちは座ったままだった。

「私は一人で、個室にいます。結婚は……したことがないんです」

やっと彼女は話し始めた。

「今や男性の三人に一人、女性は四人に一人は結婚しないと言われてますから、珍しくはないですよね。でも、何があなたをそうさせているんですか？　昔はお綺麗で、相当モテたはずでしょう」

「昔だけ（笑）。私、とてもめんどくさがり屋なんです。この歳ですから、それはいろいろあったけど……母の介護もあって、結局はここまで来てしまいました」

「僕はこの船に乗るのは三回目なんです」

「お聞きしていますよ。この船では有名ですもの。いろんな噂が飛び交っていますね。

イベントもたくさん開いていて人気者ですね」

「でも、あなたは僕のイベントには来たことがないですよね。バーとか居酒屋とかでもお見かけしたことないです」

「お酒はほとんど飲まないんです。お酒を飲めれば、いろんな人と知り合いになれたでしょうね。でも今さら遅いし……」

「船での生活は楽しんでいますか。僕も個室で世間とは断絶状態ですから、情報がまるっきり入ってこないこともあります」

遠くから女たちの和やかな歌声や笑い声が聞こえる。喜びあふれた善人たちがお喋りに夢中になっている。私たちは古い椅子に腰を下ろしている。

「私は、退屈を楽しんでいます。それに、けっこう船内イベントには参加しているんですよ」

「それは良かった」

私は心を込めて言った。

しばらく海を見ながらののんびりした会話が続いた。とろりとした眠気が漂っている。私たちは贅沢な大人の時間を過ごしている。そう思った。

「今日の髪型、素敵ですね」

私はすっかり口説きモードで、彼女の表情を見た。

「部屋番号を聞いてもいいですか」

「平野さん、お忙しいでしょうけど私の話し相手になってくれますか」

彼女は、はにかみながら言った。

「友達……もちろんです」

私は海に目をやりながら淡白に答えた。

友達か、ならいいか。

でも、まだ心は晴美さんから離れられない。やはりこういうのは苦手だ。確かに彼女はそれなりに美人だし、バイアグラもあるので自分の部屋に連れ込むことに挑戦したいとは思ったが、これ以上口説くファイトが湧かない。

午後のお茶の時間が終わって麗子さんは四時からのイベントに参加するというので、私たちは席を立った。

彼女が少しでも私に興味を持っていることは確信したが、あまり嬉しいとは思わなかった。

映画室で英BBCのドキュメンタリー映画『Earth　アース』を観ていたら気分が悪くなってきたので、部屋に帰って寝た。風邪を引いてしまったかもしれない。

船上のような閉鎖された空間で風邪が流行《はや》ると、大変なことになるのだ。下手をすると隔離されて医者の支配下に置かれてしまうと聞いている。もう何人もそんな目に遭っているらしい。それに治療や隔離費は一日で一万円にもなるという。

米寿の爺さんは元気ハツラツ

幸い風邪はたいしたことはなく、翌日は海を見ながら独りで夕食を取った。

ふと気づくと、杖をついてはいるが背が高くて体格のいい太った老人が夕陽に照らされて隣りに座ってきた。一見して面倒くさそうな爺さんだ。デッキのオープンレストランは空いているのに私に接近してくる。もちろん面倒くさそうで私は無視した。

爺さんはテーブルの前に立ち、突然、水筒を私のグラスに向けてきた。

「飲めるんだろ」

茶色の液体をどぼどぼと注ぐ。ウイスキーの香りがした。

「もうすっかりご機嫌ですね」

「まあな」

「お盛んですね。おいくつなんですか？　私は七十歳になりました」

「オレは八十八歳だ。古希なんてまだ若造だな。でもまあそろそろ先が見えてくる頃か」

「そうですか……。七十歳は先が見えてくるんですか」

「そりゃそうだ」

「なぜ船に乗られたんですか」

「船であれこれ人生の整理を考えてるんだ。終活として最後の旅に挑戦してるんだよ。これが死にゆく人間の最後の仕事なんだ。いろいろあって面白いよ」

「同世代はどんどん死んでる歳ですよね。死んじゃう覚悟って、持てるもんですか」

「老後というのは、オマケみたいなもんでね。人生の本番はだいたい終わって、遅かれ早かれお迎えが来るから、それまでの時間潰しだろう」

「奥様はおられます？」

「とっくに死んでる。オレが高校の校長をやってた時だから、二十年くらい前か」

ちょっと寂しそうに言った。

「それで今はお独りですか。これからは家族に頼るしかないんですかねえ」

「いや、自分の身は自分で守る。自尊心を持たないとダメなんだ。寝たきりになったら誰も助けてくれないよ。そうならないように頑張らないと」

「独り暮らしなんですか?」

「オレは……老人ホームからこの船に逃げ出してきたんだ」

なんだかやるせない話になってきたぞ。私はしつこく聞いた。

「老人ホームって住みづらいですか、楽しいですか」

「面白いわけがない。車椅子と病人ばかりがウロウロしている。だから誰とも付き合わない。子どもたちがかわいそうだから入っただけだよ。自分の家には子どもたちが住んでる」

「なるほど」

「そこそこいい施設なんだが、自宅のようなわけにはいかない。いろいろ機能が低下した老人は、もっと住みにくい。施設に入るということは最後の人生の手段だよ」

「そうですよね……」

「ちょっと長生きし過ぎたなあ。死の用意はしてないし、自分の老いた姿も見たくない」

「同感です」

「倒れたら延命措置は一切しないように、子どもたちには言ってある。遺体は山や海が見える見晴らしのいい高台の木の上に置いて欲しいんだが……ムリだろうねえ」

「木の上は難しいでしょうね……」

「だろうな。まあ何事にも終わりはある。それまでは辛抱して、弱音は吐かないことにしてるんだ。そのうち少しはいいこともあるだろう。ちょっと無責任かな」

なんとなく聞いているほうが寂しくなって、「おやすみなさい」と言って映画室に行った。

その日は昭和三十年代を舞台にした映画『ALWAYS 三丁目の夕日』だった。何度も観ているが、ちょっと陳腐だけど昭和初期の懐かしさに溢れている。

スペインとポルトガル

スペイン南部、アンダルシアのモトリルに寄港した。商業港と漁港を兼ねており、なかなかの景色だ。遠くには雪山も見え、尾根沿いにあるたくさんの風車も美しい。

午後は独りで街を歩いた。海はどこまでも青く素晴らしく、空は晴れ上がっている。ヨーロッパの街でよく見かける石畳の路地に入り、アパートのベランダに咲き誇る赤いハイビスカスが街を彩っている。

アルハンブラ宮殿へのツアーには八百人が参加すると聞いて驚く。ほぼ老人である。前に行ったこともあるし、私は独り船に戻った。

翌朝は、ポルトガルのロカ岬への昼食付き一万七千円のツアーに参加した。海面から発生する霧にけむる草原に小さな花がたくさん咲いていて、とても幻想的だった。昼食は海の見えるレストランで、遠くの席に麗子さんが見えた。正直面倒で、あまり近づきたくない。

ポルトガルは経済成長率が低く、ユーロの落第生といわれるが、十八世紀には海外植民地をたくさん持ち、そこから収奪した資本での社会資本がしっかり整備されていた旧宗主国であり、過去の遺産と併せてそれなりに優雅な国に見える。喜望峰に到達したバスコ・ダ・ガマの銅像もある。彼はポルトガルでは英雄なのである。

街並みにも風情があり、海風に吹かれた髪をかきあげるポルトガル女性も美しい。ヨーロッパの基本理念は、「広場の思想」から始まるそうだ。住宅街の路地には演説や議論ができる自由な広場が至る所にある。住人たちは何か事があるとその広場に集まって言論を戦わせる。もっとも今でもその習慣があるかどうかは知らないが……。

また、ポルトガルは治安が良いことでも知られ、英紙『エコノミスト』が発表している紛争や殺人事件がない「平和な国」の指標である「世界平和度指数」でも常にトップ二十位以内に入っている。二〇一八年はなんと四位だ。

アイスランドやデンマークなどの北欧諸国、ニュージーランドなどが上位だが、日本も九位と高いほうの常連になっている。経済大国の中国は百十二位、アメリカは百二十一位だ。最下位は内戦の続くシリアで百六十三位と、北朝鮮（百五十位）よりも低い。紛争地は大変なのだ。

孤立するオジサンたち

リスボンからフランス・ルワーブルに向かう。空は曇り空だ。なんとなく人と会いたくない。昼間から部屋に籠《こも》っていた。鬱に入ったのかもしれないが、軽い鬱症状はそれほど嫌いではない。何時間も部屋の片隅で膝を抱えて海を見て、ドストエフスキー最後の長編『カラマーゾフの兄弟』を読んだ。学生時代に読んだことはあるが、トシを取って再読すると、やはり深い。

デッキでは、朝方からピイヒャラピイヒャラと、オバサンたちが法被《はっぴ》に鉢巻き姿で祭りの稽古をしている。

なぜ大西洋で『東京音頭』を聞かねばならんのか。さっぱり意味が分からないが、善意のオバサンたちは張り切っている。

そもそも船上はヒマだから、お祭りがとても多い。何でもお祭りにしてしまうのだ。港を出港する時も正月やお盆、クリスマスはもちろん、「赤道を通過した」といっては騒ぎ、「日付変更線を越えた」といってはしゃぐのだ。

張り切るオバサンたちに対して、オジサンたちは孤独な人が多い。嫁にせがまれて大金を捻出してやってきたところで、船の中の単調な生活にはあまり楽しめないようだ。

世界を一周して、奥さんとどのような「絆」が生まれたのかは、興味はある。

「この船旅で、夫婦の絆は強まりました?」

私は夫婦の参加者に会うたびにこう聞くのだが、みんな笑ってごまかしている。

大半の男たちは、趣味を楽しむ時間もないまま、がむしゃらに働いてきただけなのだろう。だから、何をしていいか分からず、海をぼんやりと見て酒を飲むしかない。寄港地では団体のツアーに参加する。とはいえ船上はもともと食べることくらいしか楽しみがない。食事のレベルはまあまあだが、オジサンたちは「毎日同じようでつまらない。鶏の餌にも飽きた」とボヤく。それに、若いスタッフにマジギレするオヤジがなんて多いことか。これではスタッフも大変だ。

フランス・ルアーヴル港着岸〜かのモンサンミッシェルへ

どこまでも続く青い海と空の広さは、私を目覚めさせて、元気にさせてくれる。バックパッカーだった頃は、パリを拠点にアフリカやヨーロッパをたくさんまわった。パリでは格安航空券が買えるし、ヨーロッパの都市はだいたいパリ行きの列車があるのだ。五区のパンテオンの裏の古い小さなホテルを定宿にしていた。パンテオンは、キュリー夫妻やユーゴー、ヴォルテールなどが埋葬された霊廟だ。

そして、今回はモンサンミッシェルを訪れるのも大きな目的のひとつだった。フランス北西部のノルマンディー地方のサン・マロ湾に浮かぶ小島の聖堂である。フランスには何度も行っているのに、訪れたことはない。

「この地に聖堂を建てよ」という大天使ミカエルからのお告げを受けた地元の司教が七〇八年に建てたのだという。日本では平城京計画が持ち上がった頃だ。フランス革命時代には監獄としても使われている。

ユネスコの世界遺産（文化遺産）とラムサール条約の登録地であることでも知られ、

一度は訪れてみたかったのだ。

ルアール港からバスで片道三時間。ちょっと晴れた日の空の青さの下、バスはどこまでも新緑の田舎道を走った。

車窓からはフランスの農村風景がまったり広がり、太陽の光が限りなく降り注いだ。緑の草原が続くのはとても素敵だと思った。

フランスは軍事力もそこそこあるが、伝統的な農業国である。人口は約六千万人、旧植民地の海外県も有し、本土だけでも日本の一・五倍と、西ヨーロッパでは最大の国だ。

かつては大英帝国に次ぐ広大な海外植民地帝国を有した歴史もあり、全体的に豊かな国である。公的年金など福祉も充実しているから、老後の生活も安定している。

そんなことを考えていると、もうモンサンミッシェルが見えてきた。

外観は格好いいが、城内はヨーロッパのどこにでもある教会兼修道院と観光客用施設だった。それでも、「西洋の脅威」とも言われる威風堂々とした姿に素直に感動した。来て良かった。

「やったね！　モンサンミッシェル！」という感じだ。これを見なければフランスの

「オトシマエ」はつけられないと思っていたほどなのだから。

　昼食は、城内の海岸が見えるレストランで取った。

「お一人で参加ですか？　船内生活は楽しいですか？」

　テーブルで一緒になったオバサンにいつもの質問をした。

「楽しくて仕方ないです」

　そう言って老女は微笑んだ。七十八歳で、ふだんは東京の郊外の老人ホームにいるのだという。ご主人とは死別し、そこそこ裕福そうだ。

「今回が初めてだけど、毎年乗りたいわ」

「僕はもう三回目です。人生は辛いこともいいこともたくさんあったのでしょうね。人生を振り返ると、どうですか、幸せでした？」

　こんな失礼な質問ができる自分に我ながら驚く。

「あらまあ」

　彼女は苦笑した。

「すごいこと聞くわね」

「すみません……」

「そうね、でも辛いことばかり思い出しちゃって、いいことなんかほんの少しだったわ」

「そうなんですか」

「どんなに頑張っても、報われることなんかほとんどなかった。戦争や貧しい時代もあって、世の中が嫌になったこともあります」

「……」

「あら、こんなことを言ったら恨み節になってしまうわね」

「でも、お子さんも独立されて、世界一周もできるんですよね。その金時計、大きくてずいぶん重そうですね」

「これは夫の形見で」

彼女は愛おしそうに時計をなでた。

「いつもはつけていないんですが、寂しくなると腕時計に話しかけているんですよ」

「船上生活は楽しいですか」

「はい。お部屋の方も優しくて、友達もたくさんできました。盆踊りや太鼓の練習をしたり、折り紙や卓球もやって毎日が本当に忙しいです」

「そうですよね」

「今まで行ったことのなかった所にも連れて行ってもらえるし、田舎暮らしの老人にはとても刺激的で素敵です」

「それは良かった」

こういう素直さが幸せの秘訣なんだろうか。私はまだまだだと思った。

ドーバーへ

もうすぐドーバー海峡からイギリスに入る。

私のイギリス人に対するイメージは悪い。大英帝国時代の海賊行為や植民地政策のせいだろうか。そもそも、イギリス人はなんか偉そうだ。白人が一番偉いと思っている。悪く言えば「白豪主義」の元祖である。

午後、デッキのロビーで私は原稿を書いていた。いつも同じテーブルで私の定席のようになっている。

隣りのテーブルでは四人のオバサンたちが編み物をしながら二時間近くも世間話を

している。いわゆる井戸端会議で、孫や嫁の自慢や愚痴、健康のほか船内の住人の噂ばかり。

その隣りは、折り紙の「先生」の席がある。いつも私には優しいそのオバサンは、私にお菓子や果物をくれたり、鶴や亀などの高度な折り紙を教えてくれたりするのだが、私は折り紙などはどうもだめだ。教わってもすぐ忘れてしまう。

このオバサンと一緒にいると、いろいろな女性がやって来て世間話をするのだが、これがけっこう面白い。

もちろんこういう場に政治とか原発とかの話題を振ったらドン引きされるので、適当に和やかに喋っている。こういうことができれば、将来、老人施設に入ってもやっていけるとの自信がついたのは大きな収穫だった。

この折り紙の先生は不思議な人で、一日中いろんな人に折り紙を教えている。優しくて、折り紙の出来が素晴らしいので、みんなが自然に集まる。外国人も来るので、私が通訳を頼まれることもある。

何が楽しくて無償で一日中折り紙を教え続けているのだろうか。

あのポーランドのアウシュビッツ強制収容所に行くツアーのためにも、グループを作ってたくさんの折り鶴を折っていた。

「ダンナは少しだけど私が暮らせるくらいの財産を遺《のこ》してくれていて、ダンナと年金に感謝して暮らしているの。今は小さい頃から好きだった折り紙を教えるのが生き甲斐なの」

「専業主婦だったんですか」

「ううん……。実はダンナには奥さんがいて。私は会社の事務員で、そこで知り合ったの」

「おや、不倫ですか」

「まあそうよね。でも三十年くらい一緒に暮らしてたのよ。子どもはついに作らなかったなあ」

「そりゃ亡くなった時は前の旦那さんの子どもたちと遺産とかなんとかでバトルだったでしょう。でもいいご主人ですね、ちゃんとお金を遺してくれて」

「そうね。今が人生で一番輝いているかな」

ケラケラと笑った。童顔で、笑顔が可愛かった。

二人の婦人に自由行動に誘われる

もうすぐイギリスのドーバーに着岸という前日の夜、夕食を取っていると、私の前に二人のオバサンが現れた。

「平野さん、ドーバーではどう過ごされます?」

「今のところ予定してないです。イギリスは好きな国ではないので、たぶん船の中でゴロゴロしていると思います」

「あら、それなら私たちとご一緒しませんか」

「えっ」

「どこか行きたい所はあります?」

「そうですねえ……。日本食レストランでも探すかな。寿司か焼肉か」

こういうふうにオバサンたちから誘われることはよくある。私はタダで頼める通訳でボディガードだから、ということなのかもしれない。もちろんステキな女性なら断らないが、まずそんなことはない。でも、このマダムたちは旅慣れている感じだ。

「お寿司、いいですね。ぜひご一緒に」

「私はドーバーの街に日本料理店がどこにあるのか知りませんよ」

彼女たちはニコニコしていたので、予約していたツアーをキャンセルし、イミグレーションの前で待ち合わせた。なんとなく鼻の下を伸ばしている自分も面白い。

ところが、実際に行ってみたら、彼女たちは何も調べておらず、ドーバーの街のことはまるで知らず、結局、私が地元の人に聞いたりして電車に乗ってドーバーのなんという観光地か知らないけど街に着いた。

結局、私はあのオバサンたちに利用されただけなのだ。

若い子だったら許せるが、腹が立ってきた。さんざんおごらせておいて、「ありがとう」の一言もない。それが当たり前だと思っているのだ。

もうこれからはオバサンの安易な誘いには乗らないと心に誓った。

これがいい女だったら違うんだろうけどな……。なんて思ってしまうスケベな自分がそこにいる。

南極帰りにもオバサンに誘われた

つくづく私は優しい男なのである。ちょっと旅慣れてスペイン語がほんのちょっとできるからなのだろうか。

前回の旅で、一週間のチャーター船に乗って南極観光から「世界最南端の都市」として知られるウシュアイアに行った時のことを思い出す。

ウシュアイアはアルゼンチンの南端の島の都市で、世界最南端の国立公園もある。パタゴニアはなんとも世界で一番空気が綺麗な所だそうだ。遠くの山々は雪をかぶっていて、いつも冷たい風が強く吹いている。まさに「風の国」だ。素晴らしい。

この地に向かっていた船の中で二人のオバサンに声をかけられた。

「ウシュアイアの国立公園に行って最南端の蒸気汽車に乗りたいんですけど、スペイン語ができないんです。ご一緒していただけませんか？」

オバサンたちは私が夜な夜なバーで船員を相手に怪しげなスペイン語を話しているのを聞いていたのだ。スペイン語を知らない人が聞けば流暢に聞こえたようだ。

まあ私を含めて三人か四人ならタクシー一台でいいし、私も行きたかった公園なので、ちょっと面倒くさかったけど「いいですよ」と答えた。

だが、翌日に待ち合わせ場所に行くと、なんと驚いたことに二十五人もの人が集まっていた。噂が広がったのだろう。英語がほとんど通じない地域なので、みんな私に頼ろうという魂胆だった。それはこれだけの団体を率いていくのだから緊張した。果たして私のスペイン語はちゃんと通じるのだろうかと心配になった。

仕方なくみんなを連れて町のバスターミナルに行き、運転手と交渉してミニバス三台を確保して駅まで行き、汽車に乗った。

だが、汽車を降りたら、待ち合わせの場所にバスが来ない。これには焦った。もう周囲には我々だけで誰もいない。

久々のスペイン語で約束を間違えたかと思っていたら、三十分くらい遅れてようやく来た。要するに時間にルーズな民族であり、いわゆる「南米時間」だったのだが、二十五人も連れているので、バスが見えた時には心底ほっとした。

さらに昼食後にも「事件」は続いた。待ち合わせ場所に八十歳のおばあさんが戻ってこないのだ。何かあったら私の責任である。本船に連絡を取り探すしかないと思っていた。船の出航時間が迫っていた。

かなり焦ってバスの運転手と捜索隊を出そうとしたところ、別の外国人のツアーバスに拾われて帰ってきた。誰もいない細い道を独りで歩いている老婆をバスの運転手が不審に思ってバスを停めたところ、「ピースボート」と繰り返したらしい。

それで私たちのところに連れてきてくれたのだが、寿命が縮まる思いだった。

でも一緒に行ったみんなが私のために御礼の宴席を開いてくれたので、よしとした。

あれは嬉しかった。

第四章 北欧

ロシア～興奮のサンクトペテルブルク

退屈なスウェーデンからバルト海東部のサンクトペテルブルクへ入る。一九一七年までロシア帝国の首都だった街で、ロシア革命の聖地である。

ネヴァ川河口の泥沼地に人工的に作られた街だという。街全体が世界遺産というだけあって、派手な資本主義的な広告もなく、街並みは落ち着いている。

また、街の至る所に流れる運河も美しく、五月下旬から七月中旬には太陽が沈まない白夜の季節となる。

この街は、バレエや文学が盛んな芸術都市としても知られる。特に十九世紀にはロシア文学が花開き、世界的な名作が次々に生み出されていった。天才と謳われた詩人プーシキンやドストエフスキーなど、著名な人物もこの都市を拠点に活動していた。

何よりもロシアの女性は美人が多い。これには本当に敬服する。

さらに、街の中心にある聖イサアク大聖堂や血の上の救世主教会は、本当に素晴らしい。パリのノートルダム寺院やバルセロナのサグラダファミリア寺院も凌駕する勢いだ。

だが、何よりも感動したのは、ロシアを代表するエルミタージュ美術館である。赤や黄色、金のきらびやかな室内装飾にも感動のあまり立ちすくみ、声も出なかった。黄金色に輝く部屋を見ると、ここがかつて王宮であったことを実感する。

女帝エカテリーナ二世が美術品の数々を収集したそうで、ロシア革命を経て激動の時代を生き抜いてきた。ラファエロの回廊を抜けると、私が初めて見ることができたゴッホの『アルルの女たち』のほか、とにかく豪華な絵画が展示されている。ルーブルやコスモポリタン、プラドなどの大美術館よりも素晴らしいと思った。

ルーベンスやゴヤもすごいが、印象派の画家たちが勢揃いしているのは、夢にまで見た光景だった。愛するゴーギャン、シスレー、マチス、ルノアール、モネ、マネがずらりと並ぶ。なにしろ「ゴーギャンの部屋」「マチスの部屋」「ルノアールの部屋」「モネの部屋」はそれぞれ二部屋ずつあるのだ。

船に戻ってからも、しばらく私の身体は感動と興奮で震えていた。マチスやゴーギャンの作品の前では動けなくなってしまったほどだ。

いかんせん半日という短時間のツアーだったので、もったいなかった。ツアーのガイドさんはとてもいい人だったが、時間がないから立ち止まってゆっくり見たい名作の前をどんどん素通りしてしまうのだ。

すべての作品を堪能するには、何日もかかりそうだ。後ろ髪を引かれる思いで船に戻った。いつしかもう一度、この地を訪れてみたいと思った。

ヘルシンキ着岸〜初めてのフィンランド

六月に入った。ピースボートの世界一周航路は何種類かあり、今回はフィンランド、ノルウェー、スウェーデン、デンマークの北欧四カ国を巡る予定となっている。

フィンランドの首都ヘルシンキはその景観の美しさから「北欧の白い都市」とも言われ、複雑な海岸線が生み出す水辺の風景は美しい。

私がフィンランドでイメージするのは、サウナとムーミンくらいか。あとはサンタクロース。映画『かもめ食堂』の舞台にもなっている。

みんながツアーに出発した後、遅い昼食を取って独り街に出てみた。

北欧など健全で旅行者の安全を確保してくれる国なら、案内書や地図がなくても気楽に歩き回れて緊張感もないまま過ごせる。「ここは行ってはダメ」という危険地帯がほとんどないのだ。

泥棒もいないし、詐欺にも遭わない。淫売宿も見つからない。やばい薬もないし、腐ったものを食べさせられるわけでもない。市民はみんな優しく健康的だ。

ヘルシンキで降りたら、まずは床屋へ行くと決めていた。街の美容院ではものすごい美人に頭を刈ってもらい、さっぱりしてから街を一回りしてスターバックスコーヒーに寄って原稿を書き、果物を買って船に戻った。

それだけでも初めて訪れる国を歩くのはやはり楽しく、いろんな発見がある。

夜はビール片手にデッキで海を見てロックを聴きながら、中里介山の未完の大長編小説『大菩薩峠』を読み始める。これはしんどそうだ。

コペンハーゲン〜元大企業役員は語る

デンマークで船を離脱し、二泊三日で空路ノルウェーのオスロに向かうツアーに参加した。参加人数百名余り。

デンマークの消費税率は二十五パーセントで、とにかく何でも高い。だが、それは福祉にちゃんと回されているから安定した老後が保証されている。それに北海油田の石油の利益もあるし、人口も少ないので、何でも分け合って豊かに暮らせる。国民は政府を信用しているので、日本みたいにせこせこと貯金をする必要がないそうだ。しかし、オスロ空港でトイレに入ろうとしたら、三百円くらい取られたのには驚いた。

夜はオスロ郊外の小さなホテルに泊まる。同じツアー客と相部屋だが、実に楽しくいい人だった。

一緒にホテルの地下のバーで飲んだ。大企業の広報部で三千人の部下がいたという。関連会社の出向などで退職金を何度かもらってリタイアし、今は会社の株の配当と年金で悠々自適という六十五歳だ。

「すごい経歴ですねえ」

「いやいや」

感じがいい人だったので、ついいろいろ聞いてしまった。千人もいた同期入社者のうち役員になれるのは、なんと数人なのだという。役員はほぼ国立大卒で、年収は二千五百万から三千万円くらい。

「女遊びも豪快なんでしょうね」

「まあいわゆるお妾さんを囲って家や月々のお手当をあてがうなんてのは、オーナー経営者ですよね。役員でもサラリーマンでは難しいでしょう。もちろん遊んではいますよ。私の部下だった営業所の所長、部長など、役職者は八割がた奥様の他に交際している女性がいました。取引先の社長も飲み屋のママを囲っていました」

「それはすごいですね。大正時代でもあるまいし、妾なんて言葉もあるんですか」

「妾は一種のステータスのようです。女を囲って一人前、みたいな」

「なるほど」

「店を持たせるのは面倒ですが、会社の費用で海外旅行をするくらいならけっこういますよ。一週間の約束でコンパニオンを雇ってファーストクラスで往復して、ホテルのスイートで一週間暮らして別々に帰国するんです」

「いくらくらいするんですか」

「コンパニオンの取り分も含めて二百万円くらいですかね」

「それ全部、会社の経費で?」

「そうです、何らかの経費で落とします」

「ひでえなあ、金持ちはまだそんなことをやっているんですか」

ちなみにこの人は「女遊びはしない」のだそうだ。

彼はどうしても会社の名前を教えてくれなかった。ひょっとしたら大ボラなのかもしれないが、ちょっとうらやましかった。

でもそれだけカネがあるなら、ピースボートではなく「飛鳥」などの豪華客船に乗ればいいのに。それに広報で三千人もいる会社なんて、日本にあるのか。まあそんなことを言っていては話が終わってしまう。年寄りは自慢したいものなのだ。

私もエラそうなことは言えない。

スウェーデン〜ネーロイ・フィヨルド

オスロで列車に乗り、かの有名なフロム鉄道で五時間ばかり車中の人となって、ノルウェーの山岳地方の自然を堪能する。フロム鉄道は、世界で最も美しいと言われる鉄道で、雪渓や大小の滝が流れ、列車からの眺めもとても美しい。

フロム村は人口百人の小さな集落で、五大フィヨルドのひとつに数えられるソグネフィヨルドの山々が見える。雪をかぶった山や湖、落差百メートルを超える絶壁から落ちる滝、氷河や雪渓などどこもが素晴らしすぎる眺めだ。写真を撮るのすら忘れる絶景だ。湖と森林はノルウェー人の命だそうだ。いつまで見ていても飽きない。

その夜も小さなホテルに宿泊。ビュッフェで夕食を取ってから散歩に出てみた。もうすぐ白夜の季節なので、夜十時をまわっているのに太陽は沈まず、とても明るい。輝きを失ったオレンジ色の太陽が地平線を横断している。

次の日、フロム村から二時間近く船に乗り、それからバスでベルゲンに入る。

ベルゲンは首都オスロに次ぐノルウェー第二の都市で、海の側《そば》まで迫る山々が壮観だ。港の界隈は典型的なヨーロッパのおもちゃ箱みたいな街で、観光客相手のフィッシュマーケットが有名だが、魚介類があまり好きでない私はとても食べられない。

こんな国に生まれたら、私はどうしていただろうかと想像しながら、相変わらず時間をかけて街を一周する。そうすると、何となくその街が分かったような気になるから不思議だ。たくさんのヨットが停められている港を見るだけでも楽しい。

晴美さんはまだ船にいた

四泊の北欧のツアーが終わって船はアイスランドの首都レイキャビクに入り、そこから私は念願の十五日間の北極海をめぐるツアーに出る。

もしかするとギリシャのピレウスで晴美さんは下船してはいなかったのだろうか……。ふと思った。

愛という言葉も使い古された。ここまで生き抜いてきた七十年は何だったのか。

私は何を勝ち取ったのか、そして何を失ったのか……などと寒々とした乾いた海風に吹かれながら、私は独り考えていた。

そして、その日の夕方。私の予感は的中し、衝撃的なことが起こった。

「平野さん、私です。晴美です」

「え……」

それは突然の電話だった。にわかには信じられず、言葉が見つからなかった。

少しの沈黙のあと、興奮を抑えて他人行儀に言った。

「やっぱり、船に残っておられたんですね」

「はい……」

「船にいるという噂もあったから……。お元気でした？」

「……私は平野さんを船の中で何度かお見かけしていました。でも、声をかけられないでいました」

「そうだったんですか……」

「これから、ちょっとお話しできませんでしょうか」

「もちろんです。ちょっと寒いですが、九階のバーでいかがですか？　デッキの最後尾です。今夜の星空は綺麗ですよ」

「はい、伺います。あの……」

彼女は何か言いかけたが、電話は切られた。

なぜ今さら彼女は私に電話をかけてきたのか。

私は、これから始まるだろうドラマにただちょっと興奮していた。


まだ擦り切れていない私たちの絆、だがそういつまでも続くことはあるまいと思った。バーに着くと、すぐに彼女も来たが、さすがにデッキは寒い。北極海だから当たり前だが、冷たい海風がびゅうびゅうとデッキを吹き付ける。

「……もっと暖かい所でお話しできませんか」

彼女は痩せ細った体を震わせて言った。

「そうですね、八階のピアノバーに行きましょう」

私はキューバリブレを、彼女は言い訳のように温かいミルクティーを注文した。なんだか前より痩せて見える。

「私……レイキャビクで降りて日本に帰ることにしました。それで、お別れに……」

途切れ途切れの彼女の言葉は力なく、聞きづらかった。

「そうですか……。二度目の決断ですよね。一体あなたに何があったんですか」

「お部屋の皆さんとうまくいかなくて……。精神的にも孤立してしまいました。胃が痛くて食事もほとんどできないし、夜も眠れないんです」

「それはひどい。部屋を替えてもらったら？」

「いいえ……ごめんなさい。もうそんな気力もないんです」

「僕はピースボートでは顔がきくんで、交渉してあげますよ」

「いいえ。もう離脱の手続きをしてしまったのです。あと少し我慢して、日本に帰ります」

そんな……。せっかく会って話せたのに切なすぎる。いろんな意味でショックだった。

「僕って、あなたに恋をしているのに、まったくあなたの役に立てていなかったですよね。そんな事態に陥っているなんて知りませんでした……。すみません」

「そんな……」

「離脱を決意する前に一言、相談して欲しかったな」

「お電話したら、船を降りて北欧にいらしていましたよね」

「はあ。ところでなんでピレウスで降りなかったんですか」

「そんなこと……答えられません……」

「……」

「私がこんなに弱っているのに、そんなこと聞くなんて……」

「……」

「いつも、傷つくのは女なんです」

私は黙っていた。

「いいです、無理して話さなくて」

「……」

「晴美さんと話すのは、これが最後になりそうなので、話しますね」

「……」

「僕が言いたいのは、恋するっていうのは、その相手にはまったく責任がないということです。相手が振り向いてくれても、くれなくても、関係ないんですよ。気持ちってそんな簡単に変わるものではありませんよ」

「……」

「僕は七十歳になって恋をして初めて分かったことがたくさんあります。これから年老いて人生を振り返った時に後悔しないように、今を生きたい。だから、あなたにもチャレンジしたんです。お互い不倫でもです」

「……」

「恋ってね……。打算では成立しない何か不思議なものなんだと、最近特に思うんです。七十歳の僕がご主人も孫もいるあなたに恋をした。幼児洗礼を受けただけの不信心な僕が聖書の会に参加したのも、因縁でしたよね」

「……」

「僕たちの関係は時間が経てば薄れてゆくのでしょうが、でも、僕は老いてもまだ恋ができる自分に感動しているんです。自分に拍手したい気分なんです。まだ自分にこんなパトス（情熱）があったのかと。最初は戸惑いましたけどね」

「……」

「だから、僕はあなたに感謝しています。あなたの幸せを願っています。ただ、ありがとうと言いたいだけです」

「私だって悠さんと同じ気持ちです。……もうこれで、本当に最後になりますか？私がコンサートなんかで東京行く時、会ってくれますか」

「いや、会わないほうがいいでしょう。あなたの神、キリストの教えに反します。僕もレイキャビクで降りて北極海のツアーに行きますから、お見送りはできないと思いますが、お体をいたわってお帰りください」

「……私、今の気持ちをどう言ったら分かりません」

「え！」

「私、あれから悠さんを忘れたことはないんです……あなたと初めてお会いしてからず〜っと……」

「それは……僕もです」

「でも、住み慣れた家に戻る決心をしました……この気持ちは説明できないんです」

「僕たちにはやましいことは何もなかった。あなたはご主人のところに戻るだけ。これが僕たちの結末なんです」

私は冷たく言った。

「そうですね……。今までは安定した生活だけを選んできましたが、もう以前と同じ生活はできないと思います。これからは自分で新しいことを考えていきます」

「僕はこの恋を大切にしたいのだけど、神とご主人を大切にするあなたの気持ちに入り込めないでいました。あなたをただ自分のものにしたいというような、燃える想いはもうあまりなく、僕の気分は少し穏やかになっています」

「私だって後悔しないように生きたい……」

消え入るような声だった。戦慄は去った。私は透明な空白の中に落ちる。

ピアノバーは、バーテンすらもいなくなっていた。誰もいない。人がいない椅子がたくさん、静かに長く時間が流れてゆく。今夜の彼女には門限はなさそうだったが、帰り際、椅子を引いて立ち上がる彼女がよろけた。私は彼女の体を支え、思わず軽くハグをした。

私は彼女の寂しそうな後ろ姿を見たくなかったので、一人で素早くその場を立ち去った。もう彼女を見送りたくないと思ったのだ。

この船で、彼女の迷いに合わせて何回くらいこんな別れ方をしただろうかと思い続けていた。

彼女はピレウスで降りると言ったまま、ずっと連絡をくれなかったのに、なぜ今さら会いに来たのか。何も教えてくれなかった。

だが、もう過ぎたことだ。

成就はしなくても、この老いらくの恋は心の底に眠っていた宗教心も思い出させてくれた。この歳で神の愛について考え、ひざまずいて十字切って賛美歌を聴いて神に祈るなんて、少し前までは想像もできなかった。

これは、裏返せば「若さ」への執着なのかもしれない。爺さんになる前の悪あがきだ。きっと私は老いたくないのだ。

思えば同世代の知り合いの訃報ばかりが届く年齢になってしまった。

輝いていた時代は過ぎ去り、空虚感が支配する。やはり私は、長生きし過ぎたのだろうか。これから私は彼女に何も願わないだろう。とにかく晴美さんとは終わったのだ。もう忘れたいと思った。

衰弱する晴美さん

北海の冷たい雨が降り続いている。翌朝は起きたくなくて、ベッドに潜りこんでいると、昼過ぎに電話が鳴った。

電話をくれたのは、薬剤師の女性だった。

なんと晴美さんが衰弱しきっていて、一人での帰国は無理だという。

「今は一人部屋に移っています。レイキャビクの下船をキャンセルしていただきたいので、スタッフと話してもらえませんか？」

晴美さんが私の名を出したのだろう。

「分かりました」

私はいったん電話を切ったが、頭が空っぽになってしまった。

彼女をここまで弱らせたのは私のせいだ……。

つけっぱなしのiPadからコルトレーンの「マイ・フェイヴァリット・シングス」が流れていた。鋭いサックスの響きのジャズだ。

晴美さんに電話をかけると、すぐに出た。

「どう？　起きられますか」

「もうぼろぼろみたい。聖書の会の方が良くしてくださって、一人部屋に移れたけど、よく眠れないし、寒いの……。悠さん、今すぐ来て」

もともと細い人だけれど、声も弱々しい。

とにかく状況を聞いてスタッフと交渉しなければならない。

急いで彼女の部屋に行くと、ベッドの中の彼女は衰弱しきっていた。ついこの間までは清楚なマダムだったのに……。

極北の地から日本は遠すぎる。何度か飛行機を乗り換えるなんて、衰弱した老女には無理だ。帰国するにしても直行便のある所まで行かなくては。

私はレセプションに行き、事情を説明した。

「今、下船したら彼女は死んでしまうかもしれません。ピースボートは責任を取れますか？」と脅した。

こうしてレイキャビクでの下船をとりやめ、彼女は一人部屋で静養することになった。

それを伝えに晴美さんの部屋に行くと、一緒にいた薬剤師がブチ切れた。

「女性の部屋に男が入り込むなんて非常識なことはやめてください！」

「は？」

「どうしても入るなら、ドアを開けておくのが常識です。船の上ではすぐに噂になります。そんなことになったら、彼女の容体はもっと悪くなりますよ⁉」

「私を部屋に入れるか入れないかは、彼女が決めることでしょうが。私はあなたにも彼女からも呼ばれたから来たんでしょ」

「とにかく出てください！」

私は彼女の部屋から強引に追い出されてしまった。

レイキャビクに向かう船で

もうすぐレイキャビクだ。

空も海も暗く、重く厚い雲はどんより垂れ下がっていて、今日の太陽は冬を前にして秋を遠ざけ、重く厳しく私に問いかけてくる。

出発する前に晴美さんに電話した。

「体の調子はどう？　やっぱりツアーに行くことにしたよ」

「そう……そうよね。お仕事だものね。私は熱もあるし、調子は良くないの……。私、見捨てられるのね」

なんとも物悲しい。私はちょっとムッとした。彼女はみんなにこれだけ親切にされているのに、私にツアーに行くなとは……。

「……とにかく何も考えないで、ゆっくり休んで体力を回復してください」

「……」

それから返事は来なかった。悲しみの涙を飲んでいるのだろうか。

「私、見捨てられるのね」私に問いかけてきた。すごいことを言う。

「私が帰ってくるまでに、元気になっていてください。あとは帰ってきてから話そう」

そう言って断腸の思いで電話を切った。

「私、見捨てられるのね」と彼女は衝撃的なことを言い、そのフレーズが頭の中でリフレインしていた。

私は迷った。

今回の乗船の主な目的は北極に行くことで、すでにツアー料金百万円を払っている。レポートも書きたいし、私の「世界制覇」の夢がかかっているのだ。北極に行ければ世界の七つの海と六つの大陸を制覇したことになるのだ。

それを全部捨てて、彼女を守るべきなのか。主人のところに戻ろうとしている晴美さんを。

彼女は私に甘えているだけのような気がした。私が北極海に行っている間に、彼女に何かあったら、私は一生後悔するだろうか。とはいえ今さら彼女とすべてを棄《す》てて一から始める自信はない。それに、彼女が離婚して私と暮らしたとしても、幸せにはなれない気がした。

私たちは歳を取り過ぎていて、住む世界が違い過ぎる。生活手段を持たない彼女が勝手気ままに暮らす私にいつ捨てられるのか、彼女は不安で仕方ない日々を送るに違いない。そうなると彼女は離婚して独りで生きてゆく人生を考えてゆかねばならないのだ。

彼女は、夫に従うだけの自立心の欠けた人生を送ってきたようだ。たとえばご主人の浮気が発覚した時点で、ご主人に離婚訴訟を起こすとか、相手の女性に損賠賠償を求めて裁判で闘うといった発想はない人なのだ。

だが、私の心は揺れ続けた。

夫の不倫を嘆く女性に猛然とアタックすることへの罪悪感もあって、この恋が終わったことに対してちょっとどこか救われた気になっていたのだ。何も手につかなかった。いろいろと考えた。

それでも私は北極へ行くことを決めた。しかし何か大切なものをなくしてしまったような苛立たしい悲しさを感じた。

手早く荷造りをして、翌日に備えた。

レイキャビク着岸〜軍隊を所有していない国アイスランド

高窓から白っぽい海風が吹き込んでいた。鋭く風がかすめ過ぎた。

アイスランドは北海道と四国を合わせたくらいの面積で、人口は三十三万人ほど。東京の世田谷区の人口が九十万人だから三分の一だが、なぜか国全体が豊かに見える。アイスランドは、世界平和度指数ランキングでいつも一位か、下がっても五位以内には入っている。これはすごい。平和と緑と平等を愛する文化が社会全体に根づいているのだろう。

治安も非常に良くて安全な街で、基本的に家や車に鍵をかけることもないそうだ。夏の間は遅くまで外が明るいので、夕食後に子どもたちだけで外出するのも普通なのだという。

そして、アイスランドは地熱発電と水力発電でエネルギーのほぼ百パーセントを賄う再生エネルギー先進国でもある。他の北欧諸国と同じで、税金は高いが社会保障が徹底していて、育児休業は両親が合計で最高九カ月も取れるそうだ。他人事《ひとごと》ながらその間の代替要員が気になるが、とにかくゆとりがある。

だから、戦争とも無縁でいられる。NATOにも加入せず、軍も所有していない。そのせいかレイキャビクは一九八六年に米ソ首脳会談の会場にも使われた。この会談は「冷戦の終わりの始まり」と言われる歴史的なものだ。

また、二〇〇七年には、オノ・ヨーコが世界平和を祈念して「イマジン・ピース・タワー」をレイキャビクの沖合の島に建てている。

北極ロングツアーの開始〜平均年齢七十五歳

今日から十五日間に及ぶ北極海へのロングツアーに出発する。

ふられたような感じで別れた麗子さんから手書きの絵ハガキが届いた。

「お元気で十五日間お過ごしください」とある。なんで今さらと思ったが、悪い気はしなかった。

アイスランドは、季節と天候次第ではオーロラも見える街だ。

私たちは朝六時に船を降りてバスで市内を観光した。バスの窓からは港に停泊しているピースボートが見える。さまざまな思いは船に置いてきたが、やはりちょっぴり切ない。

しかもレイキャビク市内はわざわざ見に行くまでの観光名所はなかった。大西洋と太平洋のプレートの地割れや間欠泉、古い教会や牧場など見て回っても、面白くもなかった。

今回の北極ツアーのメンバーは夫婦四組を含む十六人で、ほとんど私より年上だった。笑ってしまうが、私はこのツアーでは「若手」なのである。

「こんな年寄りばかりのツアーなんか、キャンセルできるものならそうしたい」

冗談半分だろうが、男どもが言っている。

「これじゃロマンがないんだよな。養老院の遠足じゃあるまいし、若くなくても、せめて中年の独身夫人が何人かいればまた旅も楽しくなるのに」

まあなんと失礼な言いぐさだが、色気も何もあったもんじゃない。せっかくの北極なのに、男どもはそれほど心が躍らない。

でも考えてみれば若い子が百万円もするオプショナルツアーに来れるわけないし、働き盛りの中年層が三カ月もの休暇を取れるわけもない。年寄りしかいないのは当たり前なのだ。

これから二週間もこの年寄りばかりと過ごすなんて、どう考えても憂鬱だった。とはいえ、私も七十歳を過ぎた。愚痴は言わず楽しむしかないと腹をくった。この奇妙なツアーは始まってしまったのだ。

かの有名なブルーラグーンは小雨模様

翌日も午前中はバスで市内観光をして、昼食後に有名な「ブルーラグーン温泉」に行った。入浴料金は日本円で七千円とバカ高いわりにはしょぼかった。地熱発電で使った湯を大きな溜池に流し込んだだけなのだ。

私が着いた頃にはもう観光客がいっぱい来ていた。地元の人はあまり来ないらしい。海水パンツに着替え、灰色の空の下、ぬるいプールみたいな湯に浸かる。上がったら寒くなるような温度だ。北欧特有の温度の低いサウナにも入った。温泉の色は確かにブルーに近かった。あたりは別に絶景というわけでもないし、吹き付ける風は冷たい。

「まあホテルでシャワーを浴びるよりはいいか……広いしな」

晴美さんのことで落ち込んでいるせいもあり、ちっとも楽しめなかった。

ドミニカ共和国の思い出

沈みきらない北海の太陽を眺めながら、ちょっと寂しくなり、日本での日常を思い出す。やはりキラキラしてまばゆい矮小な新宿のネオンが懐かしい。そういう世界がイヤになったから、仕事を放り出して長い旅に出たり船に乗ったというのに。

私はふとドミニカで雇った女中との別れを思い出していた。

一九八七年、私は四年間にわたる世界放浪の旅を終えたのだが、まだ日本に帰る気はなかった。次の挑戦は、日本から遠く離れた外国に仕事を持って市民権を持って暮らすことだった。旅人の時とは違い、近隣から尊敬され、パーティーくらいは招待されたいと思っての挑戦だった。

そこで、カリブの美しい島ドミニカ共和国で市民権を取り、日本から板前を呼んで日本食レストランをカリブ海に面した海岸に無理やりオープンさせた。"Japan as No.1"と言われた時代だ。日本は愚かにもバブルに沸き返っているらしい。国際的に日本の寿司や天ぷらが流行していたが、まだこのカリブの地域には日本食レストランがなかったのだ。

　私は日本から圧倒的に遠く、日本人が少ない地を選んだ。世界一美しいカリブ海に店を開くのが夢だった。よく考えてみれば、こんな状況で成功するはずはなかったのだが、ただ夢が勝ったのだ。

　当時のドミニカは政情が比較的安定していて治安も良く、レストランのオーナーでも銃を持たずに街を歩けた。カリブの海とドミニカ独特の音楽であるメレンゲが素敵な人口六百万（現在は八百万）の小さな開発途上国である。当時の中南米のほとんどの国は独裁政治だったから稀有な国だったようだ。当時のカーター民主党政権が小躍りしたりした。

　この国で商売をするとなると最低限のスペイン語は喋れなければ仕事にならないので、毎日教師を呼んで一日十時間は悪戦苦闘し続けた。

　現地の日本人商社会にも入会した。天皇誕生日には大使館に招かれ、付近の金持ちの家庭にも招待されるようになった。いわゆるこの地で市民権を得たということだ。市民権をゲットするには若干の賄賂が必要だった。

夢は実現したが、経営は赤字続きだった。ドミニカは貧しくても寿司を食べられるくらいのアメリカ帰りの金持ちはそこそこいたので、イケるかと思ったのだが甘かった。

さらには貧しい国ゆえ、食料は輸入禁止だった。日本レストランで必要な醤油とか海苔とかわさび、日本酒はマイアミの日本人マーケットまで飛行機で買いに行かねばならず、さらには冷凍設備がないので毎日漁師に魚を突きに行ってもらうしかなかった。

そうなると雨の日などは海が濁っていて魚が出せない。寿司に必要な日本米は五十年近く前に移民で入植した日本人農民から買った。所詮この国で日本食レストランを成功させるには無理があったのだ。

営業の中心を寿司から天ぷら、カツ丼、親子丼などに変えるしかなかった。

当初は張り切って、「俺はこの国で自分の生涯を終える」と意気込んだが、長い間の赤字経営は辛い。石油ショック以降、だんだん街も危険になってきたので、五年後に私は完全撤退を決めて帰国することにした。

初めて住み込み女中を雇った

ドミニカに移住し、日本食レストランをオープンさせた私は生まれて初めて現地人の女中を雇うことになった。私が借りていたフラットはカリブ海が見渡せ、プールやテニスコートもある。近くには世界的に有名なゴルフ場もあった。

フラットの門番に連れて来られた女中は、ガリガリに痩せ、身なりは圧倒的に貧相だった。名はマリサと名乗った。二十三歳だという。報酬は住み込みで月二百ペソ。日本円にして七千円程度だ。

面接が終わって、私は彼女を車に乗せてダウンタウンに行って二百ペソを無造作に渡した。

「好きなものを買っておいで」

こう言って、戸惑う彼女を車から降ろした。

「下着も買っていいですか？」

マリサはおずおず聞いてきた。

「もちろん」と私は答えて、海が見えるサント・ドミンゴの雑多なダウンタウンの車の中で待機した。

車のラジオからはメレンゲが激しく鳴り響いている。この音楽、この紺碧の海があるから、私はこの国を選んだのだと思った。

一時間ほどして、彼女は素晴らしい笑顔で大きな荷物を抱えて戻ってきた。フラットに戻る車の中でマリサが消え入るような声でポツンと言った。

「私は多くのお金持ちに雇われてきたけど、雇い主からこんなことをされたのは初めて」

彼女はそう言って涙を浮かべた。カリブ海の真珠のような涙だった。それから五年の間、私は彼女に家族同様に接し、彼女は私のスペイン語の良い教師になった。

私たちは恋人のように食事やディスコや映画に行った。女中と主人とは明らかに身分の差があり、小さなサント・ドミンゴの日本人社会の話題となったが、私は気にしなかった。

また、現地で女中を雇うということは、いかに物を盗まれないかを警戒監視することだったが、彼女は私の部屋から一ペソも盗まなかった。

私の経営するレストランは石油ショックの煽りを受けてさらなる赤字が続いた。それでも頑張ったのだが、板前の共同経営者が先に帰国し、さらには私が連れてきた親友で元ミュージシャンの板前が自殺したことで、店を閉め、帰国を決めた。

私はマリサと別れなくてはならなかった。あとはすべて日系人のマネージャーに任せ、車や店の財産はすべて私の自称アミーゴたちに分けた。私は五年余りドミニカに暮らしたが、何ひとつ持ち帰る気はなかった。お金に変える気すらなくしていた。

私の心の傷は深く、誰の見送りもなく独りサント・ドミンゴの空港に佇む姿は、いかにも自分らしいと思った。

自殺した友は、カリブ海を見渡せる丘の共同墓地に眠っている。いつか墓参りには戻ってこようと思っていた。ドミニカを発ったものの、すぐに日本に帰る気にもなれずに一週間ほど大好きなニューヨークに滞在し、いろいろなパフォーマンスを見に行った。

三日目にドミニカの自称アミーゴから連絡があり、「マリサがフラットの荷物を全部盗んで逃げた」と言われた。秘密警察に頼んで追跡中なのだという。これは痛快だ。

「マリサよくやった。逃げろ！　絶対捕まるな！」

私はマリサに喝采を送り、逃げ切ることを祈りながら帰国した。

三カ月ほどしてマリサが逮捕されたという噂を聞いた。

一時はマリサを日本に連れて帰ろうかとも思ったのだが、やはり無理であった。もう三十年ほど前の話だ。彼女は今頃どうしているのだろうか。

ノルウェーが誇る巨匠ムンク

ノルウェーの首都オスロに着く。

ツアー参加のみんなは朝から市内見学に行ったが、私は独りで街に出かけた。

この街にはノルウェーが誇る画家のムンク美術館があるのだ。ツアーで行ったロシアのエルタミージュ美術館ではゆっくりできなかったので、今回は時間をかけて独りムンクを見ようと思った。オスロの街はなかなかいい。天気も快晴で快適であった。

それにしても、さすがにムンクは素晴らしい。あの底知れぬ静かな色合いと魚眼レンズを使ったような構図は私を釘付けにする。二十数点はあっただろうか。

美術館のテラスで一人昼食を取った。ムンクの原画を見た余韻の中、テラスで飲むコーヒーは素晴らしく美味《おい》しい。この感動を誰かと話したいと思った。

ホテルに帰る途中、ナショナルシアターでチケットを買い、夜はオペラに行くことにした。

夕刻、ツアーのみんなと合流して街のレストランで夕食を取り、帰りがけに「一人でオペラを観て十一時にはホテルに帰ります」と離脱宣言をした。

すると、ツアーコンダクターが「今夜はちょっと重大な話があるので一緒にホテルまで帰ってください」と言う。

仕方なくオペラはキャンセルしてホテルに戻ったが、ツアコンの説明は、かなり衝撃的だった。

北極クルーズ参加の時間調整のため、我々は三日間オスロに滞在する予定だったが、乗るはずの船がエンジン・トラブルのために乗れなくなったのだという。

そこで、急きょ別の船に乗ることになったのだが、その船は他の団体もいて、しかもオスロを明日の朝に発たねばならない。乗船も七日間だったのが十日間に延びるという。

「どうなってんだよ……」

　こうなると悲惨な未来しか見えない。

　しかも、我々十六人がいっぺんに飛行機には乗れないという。二班に分かれることになり、私は一班の引率を頼まれてしまった。まあ私は旅慣れているので仕方ないか……。

　私の班はノルウェーのトロム飛行機を乗り換えろと言われてちょっと緊張したが、大丈夫だった。

第五章
北極海

いざ北極へ

レイキャビクから北極クルーズの拠点となるノルウェー領スヴァールバル諸島の最大の島・スピッツベルゲン島の街、ロングイェールビーンを目指す。ここが北極への玄関口だ。

北極の最前線基地の街は、ショボショボ降る雨に、風は吹き、北極圏の重い黒雲と黒い海と寒さに打ちのめされそうだ。私は南極との底抜けの明るさの違いに驚いていた。自分の心も、この空のように暗い。山々には雪が残り、粉雪がちらついている。もう冬が近づいているのだ。

「ふむ、これが北極海か」

灰色の海の向こうに、我々が乗り込むビビロフ号が浮かんでいる。どうも観光船ではないらしく、調査船のようだ。

乗客定員百名、もとは世界各国からやって来たアマとプロのカメラマンの団体がチャーターした船だ。世界のカメラマンと出会えることは興味深かったが、どうも我々は「招かれざる客」のようで、かなり浮いていた。

荷物が行方不明に

乗船して船長主催のウェルカム・パーティーに参加し、ちょっと酔って船室に戻ったが、私の荷物だけがないことに気づいた。薄いダウンジャケットやデジタルカメラなどは手荷物のバッグに入れていたのだが、ふだん飲んでいる薬や着替えなどを入れたザックがない。

船のスタッフにメールで荷物を運んだバス会社に問い合わせてもらったが、連絡はなく、私は困り果てた。

この小さな船に売店はない。パソコンも望遠レンズ付きのカメラも、ノートも本の一冊もジャンパーも替えの下着もない。とにかく何もかもないのだ。おまけにポケットに入っていたデジカメのバッテリーも切れそうだ。

一番困ったのは持病の高血圧の薬だが、幸い医者が乗船していたので、降圧剤は処方してもらえた。

それにしても、何も持たないままの十日は長すぎる。

途方に暮れる私の同室者は、寡黙なドイツ人の老人だった。みんな嫌がるので私一人が外国人との同室になった。彼は寝息ひとつ立てない。ほとんど部屋にいることはなく、いても静かすぎて話もほとんどすることがなかった。

私も荷物をなくしたショックで話す気力がなく、黙っていた。

同情したツアー仲間がセーターや歯ブラシ、タオルなんかを貸してくれたが、その夜は眠れないままに目を開けたり閉じたりしつつ朝までまんじりともしない夜を送った。こんなことは初めてだった。とにかく憂鬱だった。

先も見えない暗く荒れた海

朝食の時間になっても食欲はなく気分は晴れず、ともかくレセプションに行った。

「先ほどバス会社から連絡がありました。あなたの荷物はバス会社に保管してあります。荷物にタグを付けていませんでしたね」

「あ、そうか……」

完全に私のミスだったが、十日後には戻ってくることが分かって、少しほっとした。

船は濃霧の中を進んでいる。雪が残る尖った山々、海に浮かぶ無数の小さな氷のかけらの中を進む。どうにも美しいとは思えない。

移動する雲、動き続ける船。私は北極海の寂しい風景を楽しめなかった。何もない生活は辛いし、船に残してきた晴美さんのことも気がかりだった。なんだかあてどない旅に出ているようだ。

船は北に進路を取り、氷の大陸も、シロクマもオットセイも見られない日が四日も続いている。

私はとにかく早くこのツアーが終わって欲しいと願っているので、一日がとてつもなく長く感じられる。

それに、船の食事は北欧特有の魚料理が多く、蒸し魚は臭くて超まずい。ひたすらワインとパンを流し込むしかない。最後はバーで酔っ払って寝床に入ったが、眠れない。

船内で孤立する日本人集団

ようやく起きても周囲は相変わらず巻き舌の英語の世界で、私にもほとんど分からない。

頑張って英語でコミュニケーションを取ろうとする気力さえなくなっている。

「あんたの英語は我々にはよく分からない。もう少し日本人に理解できるように優しくゆっくり喋ってくれ」

「アイム・ソーリー」

ナビゲーターのカナダ人に文句を言ったが、日本人グループは突然の訪問者であり、気遣う必要はないという感じだ。相変わらず聞き取りにくい英語の解説が続いた。

こんな状況だから、日本人グループはずっと食堂の隅に陣取って仲間内だけで喋って飲み食いしている。

なんとか外国人と交流するのは、ツアーコンダクターと私くらいだが、話が相手に通じているのかどうかも分からなかった。ツアコンもこの巻き舌のカナディアン・イングリッシュにはお手上げのようだった。

五日目の夜は相当荒れた。ベッドの手すりに掴まって寝ていないと振り落とされてしまうほどだ。私は基本的に船酔いにはまったく強いので、日本人メンバーがベッドから出てこなくても独り外国人に交じって激しく揺れるバー・ラウンジでビールを飲んでいた。

とはいえパソコンもiPadもないので、音楽を聴けないし、読書もゲームも囲碁もできない。夜はテレビも映画もアトラクションもないので、暗く沈んだ灰色の海を眺めながら酔っ払って寝るしかない。

さらに、毎日ひたすら酒を飲んでいるので、腹の調子も悪くなってきた。踏んだり蹴ったりである。仕方なく医者に頼んで睡眠剤をもらったら効きすぎてしまい、なんとその夜は十時間以上も寝てしまった。

なかなか姿を現さないホッキョクグマ

北極圏に来て、まだ一度も晴れた日はない。私の心も晴れたことはない。そして寒い。

船にいる八十人近い外国人たちも老人ばかりだ。このまま世界はどんどん老いていくのだろうか。

私は相変わらず、暗い海を呆然と眺め、もの思いに耽《ふけ》っていた。

小さな船内では、いくつかのレクチャーイベントが開かれている。「海洋生物講座」「自然を守る講座」「写真の取り方講座、発表会」などで、全員参加が原則だ。

もちろん私は参加する気力などない。何を喋っているのかほとんど分からなくても、日本人はちゃんと参加している。

ただ、この船を含めてみんなが自然環境を重視していることは嬉しい。こういう人たちがいるから、わずかでも地球の自然が守られているのだ。

北極海には南極のような陸地はない。ようやく流氷とWhiteの世界が見えてきた。周囲の山々には褐色の土も見えるが、かなり白っぽくなってきた。だが、やはりホッキョクグマは見えない。

オーロラは季節外れで見ることができなかったが、日中も太陽が地平線から顔を出さず、薄明るく空は美しい。

午後にホッキョクグマを発見したと船内放送があり、一斉に乗客がデッキにカメラを持って集まった。

だが、遠くて肉眼では見えず、みんなで船の高性能望遠鏡で見た。親子のクマが小さく夕陽に照らされて氷の上を歩いていて、ちょっと感動した。

みんなはいつまでも興奮していたが、私はすぐに飽きた。肉眼で見なければ話にならんのだ。

船は、それ以上はクマに近づけない。近づくには氷の海を割って進まなくてはならないが、この船は砕氷船ではないのだ。そのうちクマの親子は氷の彼方に姿を消し、感動は十分くらいで終わった。船が真っ白な流氷地帯に入ったのは、これが最初で最後だった。

船は流氷地帯を抜けると、再び暗く濁った海が続くだけだった。それにしても、はるばる北極まで来て感動するような素敵な光景にお目にかかっていない。日本人乗客の面々はみんな善意に満ちたいい人たちだ。お互いの利害関係がないのもいい。

それに、北極まで来るくらいだから、みんな好奇心が旺盛だ。ゴムボートに自力で乗れず、みんなの助けを借りてやっと乗るオバサンもいる。ふだんは杖をついている。それでも北極にまで来るのだから、たいしたものだ。

「今日は雨で寒いから、どこにも行きたくない」

こんなことを言っているのは私だけで、みんな好奇心と気力と希望にあふれている。

DVで離婚した美弥子さんとの対話

夕食後にラウンジでビールを飲みながら美弥子さんと話した。私より年下の六十四歳でカウンセラー。バツイチだという。

「トシのせいか、昔のことばかり思い出されて、最近、自殺とか『死』が頭をよぎるようになりました。なんとかこの愚かな引きこもりジジイにカウンセリングを」

笑いながら聞いてみた。

「平野さん、突然何を言い出すんですか」

「人生は良いことをもたらしているのか、それとも悪いことをもたらしているのか、生き続ける価値はあるのか、生き続けないほうがマシなのか、どう立ち回れば良いのか教えてくだされ」

彼女も笑ったが、ちょっと真顔になった。

「自分にどれだけの時間が残されているのか現に今知っていたなら、今とは違った行動を取るのかもしれない。歳をとったら残りの一生分の楽しみを詰め込むのが一番。人は死ぬ瞬間、頭の中に生まれてから現在までのすべてのことが一瞬のうちに駆けめぐるそうです。なぜ過去の記憶と死が繋がるのか、よく分からないけど、平野さんの場合、今回はセーフじゃないでしょうか」

「なるほど……。結局、人はその時々の衝動にしたがって生きるしかないんですよね」

「そうかもしれませんね」

「ところで美弥子さんの離婚は正解でしたか」

「え？」

「迷うなら離婚はすべきでないとよく言われます。独りになって思うことって、ありますか？」

「何ですかそれ」

「いいじゃないですか、ここは北極なんだし」

「確かに。北極ですもんねえ」

美弥子さんは笑って、また真顔になった。

「そうですねえ。私も昔のことはよく思い出します。死ぬことって、今、出会っている人と二度と会えないってことだと気づきました。私も離婚したし、人間なんて簡単に独りきりになるんですよ。気がついたら誰もいないの」

「今後やって来る良い時間をすべて足してそこから悪い時間をすべて引いた答えがプラスになるかマイナスになるか見ればいい。もし答えがマイナスならば痛みが多く悲しいこと。その場合は死んだほうがマシだ」とどこかの哲学者が言っていた。

「死んでしまえば快感も痛みもなくなる。数学的に言えばゼロですね」

「離婚して一番困ったことは？」

「なんてこと聞くんですか」

「いいじゃないの」

「そりゃ困るといえばやはりものすごくたくさんありますよ。住む所の問題、お金、それに子どもとか仕事とか。結局、別れたら独りですよね。頼れるものは自分しかいないということは実感してます」

「人の世話にはならない。その代わり誰にも邪魔されたくない」

「うーん……。それも元気な時はいいけど。弱った時には、他人の親切に頼ることもあるかもしれませんよ」

「あなたは再婚するつもりはあるんですか?」私はどんどん失礼なことを聞いている。

「……私は、DVが原因で離婚したんです。母はノイローゼ、義父はアル中、子どももう父親はいらないって言うし」

「そうなんですね」

「それでも北極に旅行できるくらいだから、友達からはうらやましがられてるんですよ。できれば離婚したいと言っている友達も多くて」

「あなたは離婚して気楽になれたんですね」

「まあそうですね。私の不運はあいつのせいだとか、恨んだこともありましたけどね。離婚して正解でした。もっと早くすれば良かったな」

そう言って笑った。

「僕も一度離婚してるから、女性の気持ちはそうなんだろうなと想像できます。でも、もう二度と結婚なんかしないと思っていても、惚れてしまうとそうもいかなくて」

「平野さんはモテるからじゃないんですか（笑）。ほとんどの女性は経済的な問題で離婚できないだけでしょう」

そんな難しい話をしながら夜は更けていった。

名前を知らない島に初上陸した

スヴァールバル諸島最大の島、スピッツベルゲン島のアルケフィエッレ断崖で野鳥の大群を観察することになった。

カメラも何もないので、ふてくされて北海の島々に上陸しなかった私だが、一回くらいはどこかの島に上陸しなければなんとなくアリバイが立たないので、私もみんなとゴムボートに乗って、何とかという島に上陸を果たした。

とにかく寒い。朝から冷たい風が吹き抜ける中を七十人が七台のゴムボートに分乗する。防寒具、手袋、長靴、望遠鏡などは船から借りられた。体感温度はマイナス五度くらいか。

ゴムボートを降り、セイウチの生息地まで歩く。長い牙がトレードマークのセイウチが見えた。けっこう近くまで泳いでくる。

四頭が海面に浮かんだり潜ったりしているのをプロやアマのカメラマンたちが望遠カメラを構え、浜辺に腹這いになってシャッター・チャンスを狙っている。その姿は真剣そのものだが、私にはそんな根性はない。というか我々日本人グループは世界一周旅行のおまけの北極遊覧に来ているだけで、カメラマン集団とはもともと真剣さが違うのだ。

そして、案内人は銃を持っている。突然ホッキョクグマに襲われることもあるのだという。

このセイウチの撮影大会にも私はすぐに飽きてしまい、トイレも行きたいし、船に戻りたくなった。もう二時間も時折海面から顔を出すセイウチを待っているのだ。

だが、誰も帰ろうなんて言わない。耐えるだけの時間だった。

午後になってようやく移動し、巨大な岩山に鳥の群れが巣を作っているところをゴムボートで見に行く。だが、船からでも充分見られるので、私は船に残った。

GPSをつけた白クマ

パソコンがないから、寝る前の本も音楽もナシ。シャワーで一枚しかない下着を洗い、サウナで乾かしてすぐ穿《は》く毎日だ。

もはや私は北極圏を楽しんでやろうなんて気分はまったくない。毎日落ち込んでいる。

だが、昨夜はよく眠れて、なんとなく元気が出たので、ホッキョクグマを探しに行くツアーに参加した。二回目の船外脱出である。

北極ではホッキョクグマも激減しており、現在は二万頭を切るまでになっているらしい。

今回、ほんの数分だが、初めて肉眼で自然の「シロクマ君」を一瞬だけど見ることができた。その後もゴムボートは何時間もシロクマ君を追い回していた。

さらに、二匹目のシロクマを発見したのだが、なんとその首にはでかいＧＰＳが付けられていて、なんとなくバカバカしくなった。

他に見るものはなく、景色も同じなので、すぐに退屈してしまった。

夜はデッキでバーベキュー・パーティーだった。ツアーもあと三日で終わる。あと少しの辛抱だ。

パーティーの後に、酒場で仲良くなったボツワナのプロカメラマンの写真を見せてもらう。素晴らしい作品で、いやはやプロとはそういう撮り方をするのか……と唸った。

同じものを見ているのに、まったく違って見えるのだ。

小さなバーではけっこうセンスのいい音楽が流れている。レゲエからボサノバ、カリプソ、レゲエ、メレンゲまでかけている。思わずバーテンに「俺は日本のロックイベントのプロデューサーだ。あんたのかける曲のセンスは実にいい」と褒めたら、ビールを一本ただでくれた。

孤独な元薬剤師の薫さん

　このツアーにはもう一人、孤独を愛する老人がいた。元薬剤師の薫さんで、六十歳。薫さんもやはり北極観光には興味をなくしていて、ほとんどデッキで海を独りで眺めている。

「そんなにいつも独りぼっちで海ばかり見ていて飽きませんか」

　私は薫さんにしつこく話しかけた。

「……この風景と海、私はそれだけでいいんです」

　最初はちょっと迷惑そうだったが、心を開いてくれたのは、私が船上での恋の話をした時からだったと思う。

「独身ですか？」

　例によって私は失礼なことを聞く。

「……私、結婚していませんよ。独りがいいんです。私は大酒飲みで、いつも酒で失敗するんですよ。今も毎日飲んでます」

「それは僕も同じですよ。それにしてもカメラもスケッチブックも持っていない観光客って、珍しいですね。なぜこの船に？」

「カメラは持ちません。眼に焼き付けるだけで充分ですから。昨年、南極に行って良かったので、北極も来てみようと思って」

「僕もです。このツアーは百万円もするのに」

「私はずっと独り者ですから。そのくらいはあります。ふだんはあまりカネを使わない生活をしてますから」

「そうなんですね」

こんな調子で話していたが、何日かして薫さんは自分から私に話しかけてきた。

「平野さん、オカリナいります？」

「えっ、オカリナ⁉『コンドルは飛んで行く』とかを吹く陶器の笛ですよね」

「そうです。私は毎日、一日一個ずつ手彫りでオカリナを作っているんです。これが私の唯一の趣味でね。ピースボートでも作り続けているんです」

「オカリナを吹くんですね」

「いえ……。私は作るだけ」

「へえ。そういえば、最近はみんなともよく話してますよね」

「そうです。私は引きこもりで、医者から『一日のうち何回かは人と話さなければダメだ』と言われていまして。多分、平野さんのおかげで、みんなと話せるようになったんだと思います」

そう言って、ニッと笑った。

「へえ、それは良かった」

私も何か良いことをしたみたいで気分が良くなったが、私が酒ばかり飲んでいるので医務室に呼ばれてしまった。

「ミスター・ヒラノ、お酒ばかり飲んでいますね。気をつけなければいけません」

「はあ、気をつけます」

血圧を測ると、なんと上が百八十もあった。相当やばい数値だ。だが明後日には本船に戻っていつもの降圧剤が飲める。血圧は、気にしすぎると落ち込むことをよく分かっているので、ここは気にしないことにした。

船は最終寄港地へ

ようやくこのツアーの面々の面白さが分かってきた。

カメラマン集団は撮った写真の講評を繰り返しているが、こちらは観光客気分丸出しなので、みんなから好意を持たれるわけもないのだが、この寒さの中を頑張った。

ツアーコンダクターの焦りと苦労は並大抵ではなかっただろう。なにしろ老人ばかりで一回の説明では理解できないので、何度も同じことを説明させられるのだ。

閑にまかせていろんな話を聞いた。

「もう三十数年も夫とは別居。夫は他の女と暮らしていて、子どもまでいるのよ。ここまで来たら、絶対に離婚しないわよ。私の金づるだから。男なんて、仕事がちょっとうまくいくとすぐ他に女を作る。私が必死で仕事を手伝ったのに……。絶対に許さない」

「彼女は、旦那を会社から追い出して、トラックを十台も持っている運送会社の社長さんをやってるんですよ、北海道で」そう教えてくれるマダムもいた。

また、バードウォッチングが趣味だという上品な貴婦人は、「世界の豪華クルーズ船のほとんどに乗った」という。結婚、離婚を繰り返して財産を作ったとの噂で、優雅な外見からは想像もできないが、面白い話だ。

また、老カップルもいろいろだ。

「優しいご主人で幸せですね」

そう言ったら、反論する奥さんもいた。

「とんでもない……。もうヤキモチ焼きで、どこにでもついてくるの。誰にも言えないけど」

糖尿病でインシュリンを自分で一日二回も打っているオジサンもいる。そんな健康状態でも頑張って北極まで来るのだから、たいしたものだ。

「人間には興味がない。話したくもない。自然が好きだからここに来ただけ」そう言って、ほとんど誰とも口をきかない人間嫌いの高校の元数学教師もいる。

それに、「私のことはマダムと呼びなさい」というオバサンがいたのだが、「うるせえな、婆さん」と言ったら口をきいてくれなくなった。

女部屋では、いびきで大騒動もあったそうだ。

でもみんな大人たちだから、平穏に過ごせた。これって健全な老人ホームのありようなのかもしれないと思う。

この旅の感想を聞くと、私と薫さんだけが「サイテーな旅だった。百万も使って」とぶつぶつ言っている。

しかしそれも明日までだ。本当に嬉しい。荷物も私の手元に返るはずだ。

新婚カップルへの日本語スピーチ

乗船最後の日の夕食後は、さよならのバーベキュー・パーティーがデッキで開かれた。友達になったボツワナのカメラマンから、声をかけられた。

「ミスター・ヒラノ、来月、俺は故郷で結婚する。いろんな国の人からお祝いのメッセージをもらってるから、ぜひ日本語でくれないか」

「それはおめでとう」

照れくさいが、引き受けた。

「ボツワナって、俺たちアジア人にはよくは知らない国だ」

「ボツワナは素晴らしい国だよ。自然の宝庫で、動植物の楽園だ。経済も治安もいい。昔は確かにヨーロッパにさんざん侵略されたけど、他のアフリカの国ほどは搾取されなかった」

カメラマンは笑って言った。

結婚祝いのメッセージは続き、ギターを演奏する者も出てきた。私は能の『高砂』を披露することにした。日本では結婚披露宴の定番の「高砂や　この浦舟に帆を上げて……」である。

「これはね、日本の古典的な結婚式のメッセージで、浜の砂の数は無数にあって、その二粒が結ばれて、帆船でその門出を祝うという意味なんだ」

怪しげな英語でこう言って、喝采を浴びた。この船で初めて「臆病な日本人が皆の前に現れた」という感じで受け取られたようだ。

迷子の荷物と再会

船はようやく北極前線基地、ロングイェールビーンに帰ってきた。

私たちはその街の小さなホテルのロビーで、夕刻の飛行機が出るまで待機していた。ようやく行方不明のバッグと対面できたのは嬉しかった。すぐに降圧剤と胃薬とコレステロールの薬を飲んだ。

船内でもらったノートにボールペンで書いていた毎日の日記原稿をパソコンに入力し、原稿を日本に送った。ここでは極北でもネットが繋がるのである。

作業をしていると、「犬ぞりツアー」に参加した連中が文句を言っているのが聞こえた。

雪のない石ころ道を乳母車みたいな犬ぞりで走るだけなのに、二時間で一万五千円以上もしたのだという。地球温暖化は相当に進んでいると思えた。しかしこれは確かに詐欺っぽいと思った。チラシには、白い雪道、白樺の林を数匹の犬がそりを引いている写真があった。

帰りは空路オスロまで行き、空港ホテルで五時間くらいの仮眠を取る。オスロから二時間半でパリのド・ゴール空港まで飛び、フランス航空に乗り換え、ピースボート本船が停泊しているベネズエラのカラカスまで十時間。地球半周の距離だ。

ベネズエラ行きの飛行機は、久しぶりのジャンボだった。後方の席はガラガラで、私は一番後ろに陣取って三人席を独り占めした。

荷物が返ってきた安心感もあり、ビールと眠剤を飲んで久しぶりに熟睡した。十五日間の疲れが一気に取れた感じだ。

ところが、カラカスに着いてみたら、ツアー全員の荷物がカラカスに届いていなかった。

私はノートパソコンやカメラなどを全部手持ちにしていたので、もう荷物が来なくてもそれほどの被害はない。ド・ゴール空港のストライキで、荷物の積み残しがあったようだ。

「またかよ～」

まあ船に戻れば薬や着替え、本や音楽もある。そして毎日三本もの映画をやっているテレビも自分の部屋もある……。

それにしても気になるのは、晴美さんのことだ。だんだん現実的になってきた。我々にとって、どんな再会となるのだろう……。彼女と再会して、何を言えばいいのか。

ほとんど考えられなかった。ただただこのツアーで疲れ果てていた。

久しぶりに会うとなると、嬉しい反面、夫の元に帰るという彼女の決意を覆す気力は私にはない。これから一体我々はどこに進むのだろうと、どこか途方に暮れていた。横浜で涙の別れをするのだろうか。

一番気がかりなのは弱っている彼女を置いて北極に行ったことで、彼女は私に不信感を持っているはずだ。私を許さないかもしれないという不安もあって、どこか心は重かった。

でも、私より夫を選んだ彼女に対して、気持ちが冷めている部分もあったのだが、なぜか早く会いたいと焦った。

いろいろと複雑な状況ではあったが、きっと彼女はただひたすらに私の帰りを待ちわびていると勝手に思っていた。

日本に戻ったら、私は彼女と夢みたいだった船での三カ月を語らい、「お幸せに」とハグして別れるのが一番いいだろうと思っていた。きっとお互いが満足する解決策は見つからないに違いない。

それも甘いか……という疑念を持ちながら、私の心は彼女が待っているであろう船上にあった。

アフリカで死ぬかもしれないと思ったこと

かつて私は、三十歳代前半に持っていた会社を整理し、「無期限世界放浪の旅」を宣言して四年もの間バックパッカーとして世界中を歩いてきた。

いろいろな所で働いてもいる。ニューヨークでは皿洗い、オーストラリアでは広大な荒野でのフルーツピッキングや日本語の先生、ドイツでは日本人相手の土産物屋など、外国で働くのは楽しく面白く英語の勉強にもなった。

その時代の多くのパッカーは北（先進国）で稼ぎ、発展途上国で長期間滞在し、お金がなくなるとまた先進国で一日に二重三重のアルバイト生活に入る。ただ働くだけの毎日を過ごすのである。アジア、アフリカ、南米では生活費の安さを楽しむ。そうやって何年も旅を続けるのだ。

もちろん至る所で絶望や失敗や消耗にも出会った。

アフリカのエチオピアではマラリアにもかかったことがあった。

野戦病院のような所に収容され、高熱と寒さの震えが断続的に襲ってきて、このまま死ぬかもしれないと何度も思った。

でも、私の心はどこか晴れやかだった。遠い外国で病気にかかっても落ち込むことがなかったのは素晴らしいと思った。

私は「誰の命令」でこの地に来たわけでもなく、途中で死んでしまうことも含めて無期限世界放浪の過酷な旅に出たはずだった。

これは遊びではなく、再度社会に復帰するためのリハビリなんだと思った。

「アフリカには他にもものすごい風土病がたくさんあります。マラリアくらいで良かったですよ」医者にそう言われ、絶句した。

そんな思いをしてまでなぜ旅を続けたのかといえば、希望や好奇心があったからだ。今度行く国はどんな国だろう？　そこで暮らす人々って、どんな人だろう？　と思いながらさまざまな好奇心が勝ち、行動力を刺激してきた。

「俺はまだ若く、どこの国でも自分一人くらい食べていけるはずだ。心配はない」

そんな強烈な自信に裏打ちされていたのかもしれない。

バックパッカーで一年中旅をしている連中の多くは気に入った土地で「沈没」する。旅はやめて現地の女性（大抵は売春婦）と恋愛関係になり、ガンジャ（大麻）を吸って自堕落にあてどもない毎日を過ごすのだ。もっとひどい麻薬から立ち直れない連中も多い。こんな連中のことを「沈没組」という。

私の旅は、消耗しても、旅をするのが面倒くさくなっても次の日には明るく希望に満ちた朝を迎えた。

制覇目標は世界百カ国だ。時には疲れて心が折れそうになるのを「今、自分は充電期間なのだ」と何とか励ましていた。

第六章

南米とカリブ海

消えた晴美さん

夕刻、北極圏ツアーから戻り、ひと息ついてから晴美さんの部屋に電話した。誰も出ない。デッキから私が船に戻るのを見ていてくれたのかと思った。だが、船内を探してもどこにもいない。電話も誰も出ない。どうしたというのだ。どうなっているんだと心が激しく騒いだ。

夕暮れの薄明かりに灯をつけて、海はゆっくりと静かに白波を立てている。

ロビーのテーブルに折り紙おばさんが一人ぽつんと本を読んでいるのを見つけて声をかけた。

「あら平野さん、おかえりなさい」

折り紙おばさんはにこやかに迎えてくれた。

「いやあ、北極ではひどい目に遭いましたよ……。ところで晴美さんの消息、知っています?」

「そうそう、ご存じないわよね。晴美さんはご主人が迎えにいらしたの」

「え……?　それは」

絶句した。頭が真っ白になった。一瞬うろたえた。

「シャーロットタウンで降りたのよ、カナダの」

「……」

「お一人で歩けるか心配だったけど、ご主人と腕を組んでね」

「そうですか……」

しばらく私は呆然としてしまった。

何も言葉が浮かばない。

最終的に別れは覚悟してはいたのだが、まさかご主人がカナダまで迎えに来るとは想像だにしていなかった……。

折り紙おばさんはどこかすべてを察しているのか、それ以上の言葉はなかった。

まいったなと思うと同時に、そんな分かりきったことをなぜ今まで思いつかなかったのだろうかと、自分自身に呆れた。

自分を置いて北極へ行った冷たい私より、カナダまで迎えに来てくれる優しい夫を晴美さんが選ぶのは、当たり前のことだ。

負けた！　と思った……だが、それでいいのだ。これから晴美さんと先のことを考えると、どこか憂鬱だったのだから。

「そう、それが一番いいのだ」と何度も頭の中で繰り返すしかなかった。彼女はご主人の元に戻る宿命だったのだ。彼女の神も牧師もご主人も彼女の子どもたちもそう願っている。

「もし北極へ行かなかったら、どうなっていたかなあ」

私は、ふと思い立って感じの悪いあの薬剤師のおばさんに会いに行った。彼女の部屋は真っ白で、消毒液の匂いがした。

ノックすると彼女は影のように現れた。

「私は、平野さんたちの付き合いを応援してたのに。私だって昔そういうことをたくさん経験したのよ」

薬剤師は、会うなり偉そうにそう言った。

「『平野さんが帰ってくるまで頑張ったら？』って言ったんだけど、すごく消耗して弱気になってた。それに平野さん、頼りないもの」

「……旦那さんが迎えに来なければならないくらい、弱ってたんですか……」

「そうとも言えるわね。でもさ、病弱な助けを求める彼女を置いて二週間も旅に出たのは平野さんのほう。別れる覚悟をしてたんでしょ」

「……」ひどいことを言う薬剤師だ。

「実は、いろいろ相談されてたの」

「晴美さんから？」

「そう。『私だって平野さんと一緒に暮らしてみたい、でもこの歳ですべてを捨てて平野さんと暮らせるのか』って」

「……」

「ずっと専業主婦だったんだから、あのトシで急に働けるわけないじゃない。だから、ご主人を選ぶしかないでしょ。私だってダメとは言えないわ。辛いだろうけど、もう追っかけちゃダメよ。晴美さんの決断を理解してあげて」

「……」

確かに正論なのだが、なんかこの薬剤師、偉そうでだんだん腹が立ってきた。

「分かりました。ありがとうございます。寂しいけど、どこかでほっとしてる気持ちもあるんです。これで良かったんでしょう。いろいろお世話になりました。失礼します」

そう言って、デッキに出て独り缶ビールを飲んだ。

デッキの最上階から晴美さんの連絡先を書いたメモや手紙類をちぎってカリブの海に捨てた。波は、あっという間にメモを飲み込んでいった。ついでに缶ビールと泣きたい「気」も投げ込んだ。

「あははは、七十歳の恋もついに終わったか！」なぜか自分が寂しく見えた。どこかホッとした感覚と悲しみが混じり合う。

星が輝き、あたりは静寂に包まれている。船のエンジン音だけがあたりを支配する。

灰色の風はその間を無遠慮に吹き込んでくる。

月は上がる。私は海に向かって叫んだ。

「何もかも飛んでけ！」

キュラソー着岸〜街を散策

翌朝は、気持ちがどこか麻痺していて、なかなかベッドから起き上がれずにいた。八時三十分は朝食の最後の時間だ。もう乗客の大半は観光ツアーに出かけている。仕方なく起きてレストランに向かう。多分食堂では一番最後の客なのだろう。周囲には誰もいない。誰かとお喋りしながら食事する気にはなれないので、ちょうど良かった。

独り久しぶりに和食だ。けっこう美味《うま》い。サラダ、海苔、ししゃも、納豆や梅干し、漬物、ふりかけ、味噌汁などシンプルな朝食だ。日本料理は二週間以上食べていなかったので、なんだか故郷に帰ってきた気分だ。

カリブ海とその島々は世界で一番美しい海と言われている。ヨーロッパ最大の避暑地でもあるのだ。

空はどこまでも晴れ上がっていて海も紺碧で、これぞ「カリブの真珠」の風景だと思った。潮風もいい。

船を降りて街を歩くことにする。オランダ領キュラソーの地に足をつけた。カリブ海に浮かぶ小さな島だが、過去に同じカリブ海のドミニカに五年も住んでいた私にとって、スペイン語圏である中南米は気楽で親しみがある。

キュラソーの歴史は詳しくは知らないが、昔は奴隷売買で儲けたらしい。

昼食後にスターバックスコーヒーに入って二時間ほどパソコンに向かった。スタバはたいていの国にあって、どこでもフリーのWi-Fiが使える。いつも頼むカフェラテも安定の味で、美味かった。そういうことがとても嬉しい。

街を歩いて船着き場に突き当たった。たくさんの小さな船が出入りしていて、ふと連絡船に乗って隣りの島まで行ってみたくなった。何の情報もなくただ乗り込んだので、このまま船に帰れなくてもいいと思った。ちょっと冒険をしてみたかったのかもしれない。船に乗り遅れて独り日本に帰るのも、船を追いかけてどこかの港からまた乗るというのも面白いかもしれない。乗船に遅れた人には港に荷物を預かってもらって帰れということなのだろうか。

名前も知らない小さな島は運河に囲まれ、土産物屋ばかりだった。

特に見る所はないが、ロータリーの噴水の近くに座って、何の目的もなく街をただ眺めた。私は、こういうのが大好きなのだ。

しばらく知らない街を歩きまわって、なんとなくこの国へのオトシマエをつけた気になる。四、五時間ほどで本船に戻ったが、私の身の置き所はない。

感傷に浸るのは辛く、頭を空白にして走るしかないと思った。誰もいないジムで目の前の海を見ながらただただ一人走る。全身を南国の汗が流れる。

一万メートルは走りたかったのに、八千で脚が止まってしまった。力が出ない。そして、なぜか悲しく、嗚咽する自分がいた。泣きたいのだ。構わず……涙が出た。

誰とも会いたくなかったが、部屋に一人でいるのも嫌で、サングラスとヘッドフォンで「武装」し、デッキで焼酎を飲みながら森田童子を聴いた。

いつだってそうだった。

世界を一人で回っていた時も、感傷的になると私は決まって彼女の悲しみに満ちた歌を聴くのだ。

森田童子は二〇一八年に亡くなったが、デビューは一九七三年の西荻窪ロフトである。私は中央線の西荻窪にライブ空間を初オープンさせた。そんなとき森田童子が店に現れ、「私にも唄えるのでしょうか」とカセットテープを渡された。私もまだ若かった。

私にとって、森田童子はデビューから引退まで最初から最後まで付き合った唯一のフォークシンガーだった。

パナマへ～港の周りは危険地帯

明るい陽の光が差してきて、目が覚めた。窓の外は快晴で海も美しい。中米・カリブ海にあふれる鮮やかな景色。サンゴが砕けて積もった砂浜はただでさえ白く美しい。やはりカリブ海はいい。

そろそろ私の一切の不運を忘れられそうな予感がした。人を避けてひっそり暮らしている。いたずらに嘆き悲しんではいけない。独りは寂しいが群衆の中の孤独はもっと寂しい。目の前に広がる大海原とこの大きな青空はなんだ。どうだ！　なんて感じている自分がいる。

昼過ぎにロビーで磯部弥一に捕まった。なぜかヤツは私が消耗している時に必ず現れる。

「平野さん、原発の討論会どうします？」

「そんなもん知らん。俺はちょっと疲れていて消耗している、風邪気味なんだ。勝手にやったらいいじゃないか」

「ええ？　『原発反対を訴えるのはピースボートの使命だ』って、いつも言ってるのは平野さんじゃないですか」

うーん。面倒くさいけど、それは事実だ。

「そうだなあ。しょうがねえなあ……」

私は考えるふりをした。

「だが原発推進派がいないと討論にはならないぞ。あの村西さんは原発賛成派だ。出演を交渉してくれ」

「分かりました。探します。総合司会は平野さんで、場所は小さくていいですよね」

磯部は、どんどん決めていく。

「この前、代表の吉岡さんと酒を飲んだら、俺も参加したいって言ってたよ」

代表とは、ピースボートの創立メンバーで今も代表を務める吉岡達也である。

「脱原発、憲法九条、核兵器廃絶、災害援助がピースボートの四大テーマであり、これがなかったらピースボートの船を出す意味はないと力説していたよ」

「あの人は、そういうところには出てこないですよ」

磯部はアッサリ却下した。

「忙しすぎて、アテになりません。それに、パナマで降りてしまうでしょうし」

「そうか……」

「それより、この討論会のタイトルは平野さんが考えてくださいよ」

「お前はいつだってそうだ。タイトルくらいプロデューサーのお前が考えろ」

「はい、そう言われると思って考えてきました。タイトルは『激論！　原発あなたは賛成、反対』くらいでいいですか」

「おお、いいじゃないか。満点だ、事前の予定調和な話し合いは必要ない。当日ぶっつけでいこう。俺が司会をやるから大丈夫だ」

麗子さんとのデート

それから少しして、麗子さんから電話があった。

「お久しぶりです。北極はいかがでした」

「いやまあ、いろいろ大変でしたよ……」

「今度ゆっくりお話を聞かせてください」

「もちろんです。明日あたり星空観測会を二人でしませんか。僕は酒を飲みます」

「まあ嬉しい」

約束をして電話を切った。

ベッドに入って目を閉じると、今日はなんとなく息子の誕生日のような気がした。

風邪気味で息子にメールを出すなんて……どうも弱気になっているらしい。うふふと思いながらキーボードを叩く。

「今日は誕生日かね。三十一歳になったかね。なんだかんだおめでとう」

そう打つと、すぐに返事が来た。

「メールありがとうございます。誕生日は六月六日です。三十歳です」

絶句。全然違うじゃないか。

思えば私は家族の誕生日をまったく覚えていない。

「すいませんね。平野家の伝統で、お祝い事とか誕生日を祝うというしきたりがないので、そういうことは諦めてください」

ひどい父だが、罪悪感はなく、むしろ我ながら面白いオヤジだと思った。

一昨日、がむしゃらに走ったせいか、体が重く痛かった。夕陽が黄金色に輝き、一日が終わろうとしている。


この船に目に見えない時が刻んでいる。太陽の光を受けて大海原が広がっている。ああ、なんという壮麗。海は時々刻々と表情を変えてゆく。海は偉大だ。

「平野さん、落ち込んでいるんでしょ」

麗子さんがテーブル越しに覗き込んできた。ちょっと可愛い。茶色のノースリーブのロングワンピースがよく似合っている。彼女は美人ではないけど乳房の大きい女だと、なぜか思った。

「少し疲れが出たかな。もう歳だし……」

ぽつんと私は力なく笑う。確かに北極から熱帯のベネゼエラの温度差はきつい。北極帰りで疲れているし、体調もそれほど良くない。ましてや待っていると信じていた女性に逃げられたのは苦笑するしかない。

北極の話や船内の噂話をしながら、私はずっと酒を飲んでいた。デリカシーのない男だ。酒を飲めない彼女はジンジャーエールにほとんど口をつけず、氷はすっかりとけていた。氷のとけたグラスから遠くのコンテナ船が見えた。

麗子さんは、特に話がうまいとか頭が良さそうとかいうわけではないが、独特の存在感というかオーラを身にまとっているような女性だった。

それに、なぜ私に電話をかけてきたのかが気になった。彼女も私と晴美さんのことは聞いているはずだが……。

黒雲が空を覆って強い雨が降ってきたので、私たちは慌てて屋根の下に逃げ込んだ。ちょっとしたスコールがあって雨が止《や》み、島影が見えてくる。

「すごい雨……」

彼女はびしょ濡れになりながら楽しそうに笑った。

「平野さんは女性のファンがたくさんいるのに、こんな所でお喋りしていいの？」

おいおい、誘ってきたのはそっちだろ。私は笑うしかない。

彼女は四人部屋ではなく個室を取っている。ちょっとした小金持ちなんだろう。窓あり個室の料金は窓なしの四人部屋より倍以上の料金がかかる。

これまで独身を通してきたというだけあって、ほとんど男に興味がなさそうだった。子どもを産んでいないから、体の線は崩れていないなあ……なんて、いやらしく観察している私がいる。

どうやったら彼女を押し倒せるか……とも考えてみなくはなかったが、話がややこしくなってくるだろうし、やはり面倒くさい。

私たちは話題が噛み合わないのだ。話が弾まない。

彼女とは、読みかけの本の話をするわけでも映画や音楽の話や政治や宗教の話をするわけでもなかった。

ただ漠然と二人で雨にけぶる海を見ていた。どうも麗子さんはそれだけでも幸せそうな顔をしている。話の途中でも何度も退屈と長い沈黙がやって来る。

単純に口説くつもりなら、なんとか楽しい話から意味深な下ネタの話に繋げるのだが。

「いつまでも俺みたいな酒飲みの相手をしてても、退屈でしょ？　もう遅いし、部屋に戻ってもいいよ」

思わず言ってしまった。

「私、帰る……」

麗子さんは震えながら顔を曇らせ、黙って立ち去った。

またやってしまったか……。

怒らせたのは私だが、少し寂しくなった。

私は彼女の気持ちをまったく理解できていない。

パナマに着岸

日本に帰るまで一カ月を切った。船内は静かだ。

海風が私の心をゆする。

風が逃げる、追いかける。もうすぐ太平洋だ。

パナマに着いたが、停泊時間は短いとアナウンスがあった。きっと停泊中の使用料金が高いのだ。治安が悪いので、港の周辺から離れないようにとも言われた。特に爺さん婆さんは狙われる。

そう言われてみれば、船から見える港の風景はどこか不気味で淀んでいる。若い頃の自分だったら逆に、「これは面白そうだ。いっちょ外に出てみるか」となったと思うが、特に新しい発見や出会いはないだろうし、もし何かあったらみんなに迷惑がかかる。

船員相手のバーに行って一杯飲みながら娼婦を冷やかす気にもならず、街を散策するのがなんとなく億劫になった。

港のそばのスーパーマーケットでフルーツを買って、すぐに船に戻った。

遠くに高層ビルが乱立しているのが見えた。パナマは近代国家なのだ。パナマシティは陸路で四十年前に訪れて、この国の「オトシマエ」は済んでいる。

ついにパナマにも迷子の荷物は来なかった。次の寄港地はグアテマラだ。

太平洋とカリブ海を結ぶパナマ運河は、亜熱帯のジャングル地帯を掘り進んで作られた。周辺が砂漠ばかりのスエズ運河とはひと味違った表情を見せてくれる。

全長約八十キロメートル、最小幅九メートル、最大幅二百メートル、深さは一番浅い場所で十二・五メートルである。この運河の開通はマゼラン海峡やドレーク海峡を回り込まずにアメリカ大陸東海岸と西海岸を海運で行き来できる。

大西洋と太平洋の落差十六メートルの行程を水を注入して船を浮き上がらせ、それを繰り返して船は階段状に上がっていく。

この運河は長らくアメリカによる管理が続いてきたが、一九九九年十二月三十一日にパナマに完全返還され、それ以降はパナマ運河が管理している。

国際運河であり、船籍・軍民を問わず通行が保証されている。通行料はパナマの収益になり、最大九万トンクラスの船舶だと三千百三十万円だそうだ。

再び麗子さんとデート

一昨夜の別れもあって、もう彼女からの電話はないだろうと思っていたのに、朝早くに麗子さんから電話があった。

「パナマ運河を見ながら、ブレックファーストをいかがですか」

「もちろん、喜んで」

私はすぐに返事をした。気になっていたのでとても嬉しかった。

彼女は満面の笑みでやって来た。

九階の最後尾のベストポジションのテーブルで二人、朝食を取りながら運河を見る。

朝のコーヒーを飲みながらおだやかな朝の海風の下で、二本のスクリューが海面に太く白い線を刻んでいく。

「私みたいな女とお遊びしている暇はないと思ってます……？」

突然、彼女に聞かれて焦った。

「そんな、俺……」

「だって……」

「今日は誘ってもらえて、とても嬉しかった。今日の予定は？」

「いろいろ……。九時半から卓球でしょ、それから絵画教室にも行くし、運動会の練習もあるわ」

「運動会の玉入れの練習か、ご苦労なこった。そんなことより本でも読んでいたほうがいいんではないの」

私は笑ってしまった。

「……」

「このパナマ運河は、太平洋に出るまで丸一日かかるから、俺は飽きるまでここで見てます。晩飯でも一緒にどうです？」

「……あとでご連絡します」

また機嫌を損ねてしまったか。

彼女が席を立ったあとも、私は長い間そこに座っていた。

老人は老人なりに密かに切実に馬鹿な夢を見ている。

過去と現在とが混ざり合っているような気分でパナマ運河を眺める。

それで男の一生はいいのかなんて自問している。

村西さんの決起

気持ちの良い朝だ。船はグアテマラに向かう。

雲は紺碧の水平線にちぎれていた。南の空からこぼれ落ちそうだ。

海が見えるデッキでパソコンのキーボードを叩いていると、親愛なるエロオヤジの村西さんが颯爽と現れた。もう七十六歳だというが、この人はいつもなんだか恰幅が格好良くて、堂々としている。そして、スケベだが気は優しく、面倒見もいい。

村西さんに声をかけられるのは大歓迎だが、この日の村西さんはなぜか機嫌が悪い。

「いえね、平野さん。なんだか風邪がどんどんひどくなっていて、熱も下がらない」

「それは大変ですね。ちゃんと寝ていますか、医者に行っていますか」

「いえね、こういう時こそ気合いを入れなければやってられません。俺は風邪くらいはいつも気合いで治すんです。これからレセプションに殴り込みに行くので、付き合ってくださいよ」

「殴り込み？　気合い？　そいつは穏やかじゃないですね」

私は笑ってごまかそうとした。面白そうだが、どうなんだろう。村西さんの顔はかなり紅潮している。本当に熱が高いのだろう。おとなしくしていればいいのに。

「まあ、面白いものを見せてやりますよ」

確かにちょっと面白そうだが、不穏すぎる。

「無茶ですよ。でも、作戦はあるの？　俺はピースボートのファンだから加勢はできないけど、それでもいいですか」

「かまわん。今の俺は機嫌が悪いんだ」

「なんで機嫌が悪いんですか」

「この船の全部が面白くない。連れている女も面白くない。とにかく左翼は嫌いだ。

に一緒に来てくれ！」

「そんな無茶な……愛人と何かあったんですか？　愛人が面白くないって殴り込みに行くのもちょっと変ですよ」

私はちょっと慌てた。

「怒っている理由をきちんと説明しないと、説得力がないでしょ。ただ『左翼は嫌いだ』ではうまくいかないと思うけどな。不満のある人を集めて署名運動をするとか、船内デモをするとか。ポスターを船中に貼り付けるとか、抗議文を突きつけるとか。一人ではねても無駄だと思うけど」

「そんなの、あんたら左翼がやることだ。俺は独りで切り込むぞ。一人一殺だ」

「俺は左翼なんですか……（笑）」

そう言いながらずんずん歩いていってしまった。えらく威勢がいい。自分でも楽しんでいるくせに、この船の反原発とか反戦平和とかの左っぽい雰囲気が気に障るのか。それなら自分で右翼的なイベントを企画すればいいのに。などと独りブツブツ言いながら村西さんにちょっと遅れてレセプションに着くと、何やら村西さんが若い事務員に吠えている。

「ちょっと話したいことがある。あんたじゃ話にならん。責任者を出せ！」

「すみません。今は会議中で……」

若い事務員は村西さんの剣幕に驚いている。

「その会議はいつ終わるんだ！　どこでやってんだ！」

「分かりません。私が代わりにお聞きしますが、いかがでしょう」

驚きながらも冷静に頑張っている。よくあることなのだろうと察しがついた。私はしばらく黙って様子を見ていた。

「あんたじゃ話にならん。責任者の田中を出せ」

「今、みんな出払っていて誰もいないんです」

しばらくこんなやりとりが続いた。村西さんはそれなりに粘ったが、ついに諦めて「もういい」と言ってカウンターを一発強く叩いて部屋に戻っていった。

「ごめんね。大変だったね」本当にこのカウンターで無闇に怒鳴っているおじさんがなんと多いことか、私がなぜか謝っている。

「まあ、たまにはこういうこともあるんで……あの人、平野さんのお友達ですか」

「そうなんですよ……」

スタッフはちょっと疲れた顔をしていた。

村西さんもここまでやるなら、会議室を探し当てて乱入するとか占拠するとか実力行使をすべきだった。そうでないと「決起」の意味がないではないか。

それで強制下船になったら、私も救出運動をすることになるかもしれない。あと半月足らずの航海が最高に面白くなると無責任な私は内心で小躍りしたのだが。

村西さんはその後、すっかり静かになってしまって、しばらく姿を見ることはなく出直し決起はなかった。愛人ともうまくいっていないのかもしれない。

この村西さんのこの怨念は、最後の「帰国説明会」まで持ち越されることになる。

グアテマラ、プエルトケツァル入港

ついに七月に入った。我々はどこか地球の一角にいるのだ。

グアテマラの太陽は、私をいじめるように容赦なく照らす。

船内にはほとんど人がいなかった。みんな朝からガラパゴス諸島やマチュピチュをまわるオーバーランド・ツアーに参加しているのだ。

私にとってはいずれも行ったことのある場所だし、私は北極ツアーから戻って以来、オプショナル・ツアーには参加しないと決めていて、静かに過ごしている。麗子さんもツアーに出かけているようで、誰と話すこともなく暇を持て余しそうだった。

グアテマラは治安が悪く、昼夜を通じて単独の自由行動は禁止されているが、四十年前に訪れた思い出深い首都グアテマラシティまで独りで行くつもりだった。ゆっくりと昼食を取って船を降りようとすると、朝早くから街に行った連中が続々と戻ってきていた。

「どうでした、街の様子は」

「近くの街には何もないし、首都まで往復で二時間以上かかる。百四十ドルもするんですよ。渋滞もひどくて」

顔見知りのおじさんが教えてくれたので、私は面倒くさくなって街に出るのをやめた。インカの遺跡やアンティグアなどは四十年前に行っているし、船で本でも読んでいたほうがいい。港の敷地内をひと回りして船に戻った。

四十年前のグアテマラ

グアテマラは四十数年前、バックパッカー時代に訪れたことがある。ニューヨークからサンフランシスコまで格安バスのグレイハウンドで横断、そこから一路南下して国境の街サンディエゴからメキシコ、ベリーゼ、グアテマラ、ホンジュラス、ニカラグア、コスタリカ、パナマ、ベネズエラまで中米を陸路で制覇したのだ。

私がカントリーハンター、別名「フラッグハンター」で制覇した国の多さを自慢する連中の一人だった当時は、この地域は短い期間で稼げる魅力的な小さな国々がたくさんあった。この国々を制覇すれば格段に訪れた国の数は稼げる。

グアテマラは内乱の最中だった。私が泊まっていたゲストハウスは大統領官邸のすぐそば。さすがにえらい所に来てしまったなと思ったが、もう遅い。ゲストハウスの前を完全武装の政府軍が通っていく。遠くから銃声も聞こえる。

通りに出てみると、広場のある官邸前の大きな通りには、政府軍が戦車を並べて官邸を守っているのだ。

「ゲリラが突入を図るかもしれない。ベッドを窓に立てかけるんだ」

ゲストハウスのおやじがそう言ってきた。

「ここはちょっと危ないから、明日はパンアメリカンホテルに移ったほうがいい」と彼は言った。

料金は一泊百ドルもするが、警備もちゃんとしているというので、移ることにした。このホテルは両軍に賄賂を払っており、襲われることはないとの話であった。

その次の夜、私はホテルの十階の部屋で明かりを消し、夜通しカーテンの隙間から銃撃戦を見ていた。

近くのビルの屋上には狙撃兵が銃を構えている。時折街角からボ～ンという迫撃砲の鈍い音と煙が上がり、それは興奮に満ちスリル満点だったが、翌朝すぐにタクシーで阻止線を突破してホンジュラス行きのバスに乗り込んだ。

当時の中南米は、どこもがインフレ続きで、強盗や泥棒が多かった。

アフリカではいつも死の危険があったが、中南米では身ぐるみ剥がされる強盗はいても殺される危険は少なかった。

私たちバックパッカーは、いつだって強盗に遭った時のために百ドル紙幣をパンツの裏に貼り付けて隠し持っていた。そのカネで日本大使館のある地に行くのである。

また、ナイフも必需品だ。強盗団は何日もかけて旅行者を尾行し、誰もいない所で襲う。これはドミニカに住んでいた時も同じで、拳銃やナイフを持っているそぶりを彼らに見せることが重要なのだ。

襲おうとする相手に、「襲うのはいいが、下手したらあんたらもケガをするよ」とこっちから威嚇するのである。

そんな身の危険を冒してまでの旅は実に面白かった。まあ、若いからできた話だ。

第七章 太平洋へ

イベントのテーマはヘイトスピーチ

船は最終寄港地のハワイを目指している。太平洋に映る空の深さが美しく、水平線に逆らうように船は進む。それでいい。遠くから聞こえてくる合唱が心地好い。ちぎれちぎれになって歌声は消えていった。

なんだか無気力で、何もかもが面倒に思える。それでもピースボート事務局に頼まれたイベントをいくつもこなしている。

この日も午後からヘイトスピーチをテーマにしたイベントを開催した。夜ではなく午後の時間帯は久しぶりだ。ヘイトで有名な「在特会」とか「韓国人を殺せ」とかの差別主義者のデモ映像を流すとみんなビックリしていた。テレビでも見たことがない団体なのだろう。まだこんなことをやっている連中がいるのかという意見が出た。参加者は五十人か六十人ほどで、活発な議論が行なわれた。

私とオーストラリアの通訳の女性と映像を交え客席と討論したのだが、手を挙げて質問する人もたくさんいて、みんな真剣に話を聞いてくれた。私はいい気分だった。

オーストラリアはわりとヘイトクライムが問題になっている国で、特にアジア系の有色人種は路上で通りすがりに罵声を浴びせかけられたり、襲撃されることも珍しくないそうだ。

それにしても、パリで積み忘れた北極ツアーのグループの荷物が、まだ返ってこない。船はベネズエラからパナマ、グアテマラと動いているので、フランス航空もどこに送っていいのか迷っているのかもしれない。

次に届くとすればハワイだが、アメリカは所有者がいない荷物は預かってくれないらしい。九・一一の影響だろう。そうなれば横浜まで受け取れない可能性がある。

星空の下での抱擁

夕方、麗子さんと船上の散歩に出た。

私たちは手すりにもたれながら太平洋に沈む夕陽を静かに見ていた。二人の影がデッキに長く伸びている。人生はおもちゃだと海は言う。

六十三歳の今日まで結婚したことがない麗子さん。意外と背が高く、ショートヘアと真っ白なうなじが魅力的だ。花柄のロングスカートの彼女はさわやかな表情で私を見ている。

太平洋に入ってから美しいサンセットが毎日のように見られるのが嬉しい。あたりは薄く、闇が支配し始めた頃に私は彼女に聞いてみた。

「あなたはとても魅力的なのに、なんで今まで結婚しなかったの？」

相変わらず我ながら失礼な質問だ。彼女の生活のことを聞きたくなった。

「私には、男の世話をするなんてそんな芸当できないわ」

そりゃそうだ。私は反論できないが、それでも続ける。

「でもさ、人を愛したり恋するって、今も昔も素敵じゃないか」

「それは……。恋は何回かしたし、まったくモテなかったわけじゃないのよ。自慢じゃないけどお見合いも何度か断ったわ」

「なるほど。恋じゃなくて、結婚が嫌なんだね」

「そう。なんとなく結婚には踏み切れなかった。結婚が素晴らしいことだとは思えなくて」

「確かにね」

「結婚して家庭を持ち、子どもを育て、場合によっては旦那の親の面倒を押し付けられ……。幸せなんてとてもイメージできないわ。今日の悠さんは、私の傷を撫で回しに来たの？　嫌な性格ね」

「……なんだか君は世捨て人みたいだね」

つい余計なことを言ってしまう。

「そうよ。男に必要とされない人生から男を必要としない人生に切り替えたの」

「君はどこか人生に居直っている。この船では、みんなが『生』を貪ろうと、ガツガツしている。君にはそれがない」

「……それはそうね」

彼女はとてもプライドが高い。そこは尊重しなくてはならないのに。会話は行き詰まり、私はどうしていいか分からなくなる。

でも私たちは、どこか運命的な赤い糸で繋がっている気がしないでもない。

彼女は男との会話に慣れていないのだろう。恥ずかしいのかもしれない。勝手にそう思う。

「そういえば、ちょっと平野さんのイベント見たわ。ヘイトスピーチって何?」

彼女が高い声で言った。私はもうそこで答える気がしなくなる。カンベンしてよ……。

私は、「そんなことも知らないの? まいったな。新聞ぐらい読めば」という言葉を呑み込んで、「屋上で星を見に行きませんか」といつものフレーズを言った。星空を見るのに理屈はいらない。

彼女はうなずいて、黙ってついてきた。

今夜の星空は特別に美しく見える。流れ星がいくつも流れ、とてもロマンチックだ。最上階のデッキに人影はなく、私たちは夏の夜の海風に吹かれながら、黙って満天の星空を眺めた。

しばらくして、私は初めて彼女の手を握ってみた。その場の雰囲気がそうさせただけで、他意はなかったのだが、彼女も握り返してきた。

星は相変わらず太平洋の上に輝き続け、船明かりに照らされた白い波が散っていく。ちょっとしたハグをしてロマンチックな気分になってきたが、彼女の心の奥の暗さが気になる。

私は麗子さんに恋してはいないのだから、これ以上は進めない。星空を見上げながら思った。

そこにいいタイミングで、何人かが屋上に上がってきたので、私たちは離れた。

ハワイまで十一日

長い航海だったが、あと二週間足らずで最終寄港地だ。ハワイは私にとって興味のある島ではない。日本人がうようよいるだけで憂鬱になる。

相変わらずの二日酔い。食堂の朝食のメニューはほとんど決まっている。千切りキャベツのサラダ、焼き魚は鮭かししゃも、里芋の煮付け、梅干し、おかゆ、焼き海苔、納豆、味噌汁など。なかなかヘルシーだ。昼食はラーメン、かけ蕎麦かハンバーグ、ディナーは白いテーブルクロスの上でけっこう豪華な食事が用意されている。

そして、食後には煮詰まったコーヒーを飲む。

誰も寄せ付けず、朝食を終え、部屋に戻って持病の薬をいくつか飲んでいるとハウスキーパーに部屋を追い出され、海の見えるロビーで読書したりキーボードを叩いているると、午前中が終わる。

私のネットブログで展開する「航海記」はそれなりに好評で、アクセスが一日二千を超えるようになった。

テーマである「七十歳の恋」の記事が評判なのだ。それはそれで嬉しいのだが、あの興奮し天にも昇るような恋が懐かしく思える。今は、どこかこっぱずかしい。まだ自分にもそんなパワーがあったのかと驚いているのだ。

この日は、祭りの太鼓の練習に余念がないおばさんたちに読書の邪魔をされた。

三時に紅茶とショートケーキで休憩して、夕方にはジムとサウナに行く。夜は大食堂のディナーには行かず、独りビールを飲みながら九階のセルフカウンターで肉丼の夕食を取る。

こんな日常ももうすぐ終わってしまう。

麗子さんに連絡するのもなんとなく面倒で、独りでドアーズやグランド・ファンク・レイルロード、グレイトフル・デッド、レッド・ツェッペリンなど懐かしき洋楽を聴きながら美しい海と水平線の彼方に沈む真っ赤に燃える夕陽を見た。

音楽を聴きながら独りで眺める大海原は、何度見ても新鮮で感動的だ。これがあるから船の旅はやめられないと思った。

ロックに飽きたら日本の叙情フォークが聴きたくなる。

森山良子の『さとうきび畑』や浅川マキの『カモメ』、遠藤賢司の『ネコ』、友部正人の『ふーさん』、三上寛の『夢は夜ひらく』などの名曲が耳に心地好い。

この時代の曲を聴くと、私の心はまさしく青春時代へと還《かえ》っていく。我が青春時代のさまざまなシーンが走馬灯のように流れてゆく時間がたまらなく愛おしい。

船上大運動会始まる

船の上では数日後に迫った船内運動会の練習に夢中だ。この運動会は、毎回出席率が八十パーセントだという。

そうなると、私はことさらに意地を張って出席を拒否したくなる。「応援合戦」がひとつの目玉で、至る所で「○組に応援お願いしま～す」という声をかけ合う。やってられるか、そんなの。

「平野さんは何組ですか？」

食堂でおばさんに話しかけられた。

「何のことです？」私はトボける。

「運動会ですよ。誕生日で組が決まるんです」

「わたしゃ、そんなもん聞いていない。強制参加じゃないんでしょ？　何が悲しくて外国航路で爺さん婆さんの玉入れやムカデ競走を応援しなければならんの」

「婆さんとはなんですか？　失礼でしょ」

「六十過ぎたら俺は爺さんで、婆さんは婆さんだ」

「やあねえ。みんなが団結して何かをやろうとするのに」

団結……こんなお遊びにそんな用語を使うおばさんはちょっと面白い。

「俺は出ませんよ～」そう言って笑った。

「玉入れの応援に団結するんですか？　爺さん婆さんはもう棺桶に片足を突っ込んでるからいいけど、いい若い者がそんなことに夢中になるなんて最悪。そんな暇があるなら英語かスペイン語の挨拶程度の言葉でも覚えたら？」

本当はそう言いたかったのだが、言葉を呑み込んだ。

隣りのオヤジも口を挟んできた。

「私も最初は運動会なんかバカにしてたんです。でも、ちょっと参加したら、これがハマってしまうんですよ。平野さんも参加したら分かりますよ」

「へえ」

「今まで商店街とか地域のお祭りとか盆踊り、運動会とか参加したことあります？」

「ないですね」

へそ曲がりの私が悪いのは分かっているのだが、やっぱり気まずくなってしまった。もう運動会については何も言わないと決めた。

そうこうしているうちに、最大のイベント「船上大運動会」が始まった。デッキに八百人以上が集結する大イベントだ。

私も取材があって、顔だけは出さなければならなかった。

もちろんどこの組にも所属はしていない。原発や憲法問題のイベントには数十人しか参加しないのに、運動会は参加しないと非国民扱いすらされてしまいそうで、本当に意味が分からない。

種目は玉入れ、ムカデ競走、クイズ大会、綱引き、応援合戦など。ちゃんと審査員もいて、競技や応援の点数を争うのだそうだ。赤や青のTシャツや法被に、鉢巻きやリボンを付けて、みんな一致団結してとても楽しそうだが、私はこういうのはまったく心地好くない。

いつもは閑散としているデッキは原色が乱れ散り、スピーカーが大音量で戦意を煽っている。まるで別世界だ。ちっとも楽しくない。

私はいつズラかろうか、そればかり考えていた。

なぜみんなと一緒に楽しめないのだろうかとも思うが、どうも引いてしまう自分がいる。

こっそり抜け出して部屋に戻り、船内テレビで黒沢明監督の『天国と地獄』と木下恵介監督の『二十四の瞳』を観て泣き、あとは読書をして過ごした。まだ島崎藤村の長編『夜明け前』が読みきれていない。

昨夜、この船で独りの老人が生涯を閉じたという。

あまりおおっぴらには伝わらないが、こういう話は「ピースボート伝説」として密かに伝わってくる。

確かに客の平均年齢が六十歳以上で千人、従業員四百人の世界で百日以上航海すれば死んでしまう人も出てくるに違いない。船には棺桶が何台か積んであるという。

その老人は家族に内緒で家出同然で船に乗ったそうだ。連絡を受けた家族がびっくりしていたらしい。そんな老人がたくさんいるのだ。

でも、都会の孤独の中でひっそりと亡くなるよりも、船上で人生を終えるほうがいい気もする。

邪魔が入らない船上結婚式

そこそこに荒れる海。

船はモンスーンを避けて南に下りながらハワイを目指している。ハワイまであと四日だ。さらにハワイから日本までは十日かかる。そして、そこでこの航海は終わる。なんと乗客の七十五歳と七十歳の男女がこの船上で知り合い、恋に落ちて結婚式を挙げたという。素晴らしいことだ。知り合いでもないので呼ばれなかったのだが、ちょっと覗いてみたかった。

最近の「超・晩婚ブーム」は、主にカネの問題で「事実婚」になりつつあるらしいが、幸せそうなカップルはうらやましい。

もっとも親近者や子どもたちは困り果てるに違いない。遺産や家の処分のこともあるし、もし自分の親が死んで、親の「新しい配偶者」に介護が必要になったらどうするのか。

老人の結婚はハードルが高い。周囲の反対を押し切る勇気と生活できるカネは不可欠だ。

でも、船上では誰もうるさく言わず、みんなが無条件で祝福してくれる。

それに、船長には結婚式の「宣誓立会人」の権限があるそうで、正式な結婚となる。ここで挙式をしたら誰も文句を言えないのだ。

素晴らしいことであり、実は船上で挙式したカップルはけっこう多いらしい。もっとも船を降りれば問題は山積みのはずだ。

夕方になったので、ジムとサウナに行ってからデッキでサンセットを見て食事に行こうと思っていたところに、麗子さんから電話が来た。

「一緒に夕陽を見てもいいですか」

拒否する理由はない。「もちろんです」と言ってデッキに出た。

私は海や夕陽を見る時は、いつも無口になってしまう。彼女に気のきいたことのひとつも言えない自分が情けない。

麗子さんのことは嫌いではない。むしろすらりとした彼女の横顔と赤い太陽を見るのは好きだ。

すっかり日が沈んだので、私たちは展望台に上がって太平洋の星空を見ることにした。

「ほら、あれが北斗七星」

「バカだなー。今の時期にハワイ沖で見れるわけないだろ。まだ南十字星は見えるかもしれないが」

「そうなの？　オリオン座は？」

「あのなあ……。そもそもオリオン座はあんな形してないし」

「でも、昨夜ここで星空に詳しい人が言ってたもの。平野さんこそ分かってないんじゃないですか」

「星空観測会もこれで最後かもしれないね。さあ、酒を飲むぞ」

バーに入ると、私は焼酎のロック、彼女はアイスクリームをオーダーした。

「麗子さんって、日本では毎日何をしてるの？」

つい詮索してしまう。俺って嫌な奴だなあと思いつつ。だけど六十三歳、結婚も出産もしていない無職の独身女って、一体どんな日常生活を送っているのか興味があった。

「起きるのは朝六時で、テレビ体操をして朝ごはん」

「朝飯って、何を食べてるの」

「簡単なもの。パンとサラダとコーヒーくらい。それで朝ドラを見て、洗濯や掃除をしたら午前中は終わるけど、お昼は食べないで買い物がてら散歩に行くくらい」

「へえ、けっこう歩いてるんだ。雨の日も？」

「そうね、クルマを持ってないから」

「いつも誰とも喋らずに過ごすの？」

「そういう日もあるけど、絵やヨガを習ってるし、友達とはあまり会わないけど、三カ月に一度くらいは数人で集まってお茶しています。妹と食事をすることもあるわ」

彼女はそう言いながら、耳の後ろに手をやる。

「そういう平野さんこそ、どういう生活をしてるの」

「えっ、俺？」

「そう」

「俺か、俺はね……今のところは、まだ自分で作った会社の会長という立場なんで、それなりにやることはあるんだ」

私は澄み切った空を見上げた。

「ふうん」

「でも、もう昔みたいに仕事には夢中になれない。昔は仕事が楽しくて、やればやるほど結果も出せたけど、なんかね、もう情熱がないというかね、会社に興味がなくなったのかな。会社を大きくしたいって思わなくなったな」

「うん。俺の四十年以上やってきた仕事のすべてが賞味期限切れってことかな」

「年を取ってから恋をするって、どういうことかな？　平野さん、この船で経験したんでしょ」

「どうかなあ……。なんともしょっぱい味がした」

「都合のいい時だけ女といいたいんでしょ」

「そりゃまあそうだけど、それは女性だって同じだろ」

「それはそうね」

「でも、自分で言うのもヘンだけど、確かに七十歳で恋にハマったことを含めて、いろんな異変が起きてるね。恋はしながらも、どこか『近い将来死んでしまうことも含めて人生とは何か？』なんていう悟りの領域というかそんな地点に辿りついたのかなあって思う……」

「情熱……」

「人生に諦めがついたの？」

「そうとも言うかな。さすがに古希は違うなあ、ってね。なんか仙人みたいな気持ち。人間の悩みは大きい」

「仙人か……いいな」

彼女はつぶやくように言った。

「いい響き。ありがとう、平野さん」

テキトーに喋る私の頭の中では、彼女の「ありがとう、平野さん」という声が頭の中でリフレインしている。感謝しているのは私のほうなのに。

「こっちこそありがとう、麗子さん」

私は朗らかに言った。

「え？」

「飽きもせず自分のそばにいてくれて。失恋で傷ついた七十歳の心を救ってくれたのは君だから。俺は君に助けられた。感謝しています」

「そんな……」

彼女は、やっぱりよく分かんないという顔で照れていた。

ホテルで一緒に過ごそう

下船の日が近づく今頃になって、私は麗子さんの存在を意識し始めていた。

この数週間、私と麗子さんはしょっちゅう一緒に食事をしたり、夕陽を見たりして、夜もバーで過ごしている。

そもそも今後も彼女と付き合えるかどうか、自信もなく分からない。

彼女は私の主催するイベントには来ないのに、石原裕次郎を聴く会みたいのにはけっこう出ている。

私はそんな彼女にけっこうガチでムっとして無視したり、「もう帰れよ」とか言ったりもする。

彼女も怒って帰るが、翌朝にはまた一緒に食事をする。こうなるともう周囲から「デキてる」と思われても仕方ない。

独りで真っ赤な太陽が水平線に燃えて落ちるのを見る。美しい。そしてふと気がつくと、隣りに麗子さんがいるのだ。

晴美さんとの別れがあってから、ずっと私の心が晴れることはなかった。ほとんど各種のイベントにも参加することはなくなっていた。いつも独りで水平線を見ていたのだが、今は麗子さんがいてくれる。二人で見ていると、喜びや感動にあふれてくるのだ。

「平野さん、晴美さんのことになるとなぜいつもそんな悲しい顔をするの？」

急に言われた。

「俺、しょぼくれた顔してる？」

「してるわよ。晴美さんのことを考えてるんでしょ」

「……」

「平野さんは、晴美さんに利用されただけよ。そんなことも分からないの」

唐突に緊張するようなことを言うので、思わず笑ってしまった。

「あははは、何度も言うけど恋は盲目というからね。まあ利用されたとしても、本人がハマってたんだから、それでいいの」

私は話題を変えようとした。

「だって……なんか悔しい」

甘えたような目で私を見た。

「苦しみは美しい……一人が苦しめばいいのだ」

私は海を見ながら独り言のため息をつき、遠くを見たまま聞いた。

「ハワイに着いたらどうするの？　最後の寄港地だね」

「午前中にダイヤモンドヘッドのツアーに行くわ。午後には戻るから」

「停泊は二日もあるから、どこかビーチ沿いのホテルで朝を迎えようか。船の生活も飽きたし、ワイキキのヒルトンかシェラトンあたり。寿司も食べたいし、ダイヤモンドヘッドの夜明けを見ながらモーニングコーヒーとか。朝食はカリカリのベーコンでね」

断られるのを承知で聞いてみた。

「いいわ、ご一緒しても」

「えっ、ほんとにいいの？」

「だって、平野さんがそうしたいんでしょ」

「主体性のない女だなあ、お前は。俺がいいと言えばそれでいいのか」

「うん。誰かに身を任せる自然な成り行きって、どこか素敵」

「はあ……」

「何が起こるか、分からないのってけっこう好きなの。最後のハワイくらい素敵な夜を送りたいわ」

そう言って私を見て、満面の笑みを浮かべている。

「冒険は嫌いじゃなかったのかね。人任せだなあ。ずっとそういう人生だったんだろうね。素敵な夜になるかどうか、俺には自信はないけど、ネットでヒルトンの予約取っていい?」

「……いいよ」

彼女は明るい声で答えた。

遠くでデレデレに酔っ払った奴が安酒の匂いを発散させ、大声で何かをわめきながら腕を振っているのが見えた。

過去を懐かしむ老人たちの自慢話

一乗客に過ぎない私だが、何度も船内新聞に載るので、そこそこの有名人でもある。私があのライブハウス「ロフト」の経営者であるからか、いつもサングラスに大きなヘッドフォン、MacBookを抱えている怪しげで不機嫌そうな私に、船では数少ない若い女の子たちが声をかけてくる。船には、こんな老人はいない。

若い女の子に声をかけられても、私は正直あまり嬉しくない。

「スピッツもサザンオールスターズもBOØWYも山下達郎もロフト出身なんですよね」

息子より年下のムスメに言われても、嬉しくない。なんというか、価値観が違うのだ。

若い人と話すとつい偉そうに説教くさくなって辛いのだ。

でも酒が入ると喋ってしまうこともある。偉そうに自分の過去を喋るなんて最低、と思いながら。

でも、「ご著書読みました。お話ししたいんですが……」なんて言われると、ちょっと嬉しい。私の著書の数冊が「また貸し」で船内にどんどん広まっているようだった。

ハワイへ～光と音と平和の夜

「平野さん、今夜のデッキのイベントはぜひ見に来てくださいよ」

昼食の時、また磯部弥一から声をかけられた。

「イベント？　何の」

「まあ来てみてくださいよ」

船内新聞には『光と音の平和の夜』とあり、上階のデッキで一時間ほどだという。誘われたから行くという程度で顔を出した。

時間になると場内は真っ暗になり、音楽とともに白鳥の踊りが始まった。見られるバレエだ。ちょっとプロっぽい。

バックには戦争と平和の映像が流れ、平和の重要さを強調している。

そこで詩の朗読が始まった。出演者はみんな乗客である。

まずは与謝野晶子の『君死にたまふことなかれ』。読むのは、「与謝野晶子・樋口一葉の朗読会」を主宰している七十歳過ぎの女性だ。

その後は、老人たちの戦争体験、沖縄の民衆の苦悩、若者のゲイのカミングアウト、ベネズエラ人による貧困問題などをテーマにした朗読が続いた。まったく一貫した「平和」と「人権」への雄叫びである。

最後はジョン・レノンの『イマジン』が音とともに和訳されて流され、私も素直に平和について考えさせられた。こういう企画は実にピースボートらしくていい。

終わってから、私は興奮気味に弥一に話しかけた。

「弥一、すごいじゃないか。素晴らしいよ」

「へへ、ありがとうございます」

「演出や構成は、あんたが考えたのか」

「そうです。僕だって、これくらいはできるんですよ」

「そうか、見直したぞ。お前さんは、こういうことについてはイカレポンチだと思ってた。これぞNGOピースボートに青春を懸けている男の姿だ！」

私は彼を最大限に褒めてあげた。

今日も麗子さんと

ハワイに近づくにつれて、太平洋の海はどんどん美しくなっている。船内アナウンスでは、太陽が真上に来て影がなくなると言っている。

私は独りで海を見ながらロックを聴き、相変わらず沈みゆく夕陽を眺めている。これは日課に近い。麗子さんを夕食に誘った。

「船を降りたら君は変われると思う。自惚《うぬぼ》れも自尊心も、見栄もなくして本当の自分を見つめること」

こんなことを言ってみたが、麗子さんはそれには答えずに、私を見た。

「どうして晴美さんはカナダで船を降りたのかしら」

「えっ」

「平野さんが晴美さんを置いて北極ツアーに行ってしまったからでしょ」

「……」

麗子さんは、ずっとこのことを聞きたかったのだろう。私は晴美さんの話になると笑ってごまかしてきた。

「日本に帰って、俺の連載ブログを読めば分かるよ」

「平野さん、晴子さんを愛していたんでしょ」

「二十数年ぶりの恋だったからね」

「愛したのになぜ彼女を離したの？」

「彼女の信じる神様には勝てなかった。結局は不倫の行き着くところで、彼女はご主人の所に帰る運命にあったんだよ」

「平野さんには、神様はいるの？」

「そりゃあいるさ。俺も幼児洗礼は受けているし、高校もミッションスクールだった。言うなれば俺と彼女は宗教とか音楽の共通の土台があったんだ」

「そういえば、私たちって全然違うよね。考え方もライフスタイルも」

「もう、そんな話はやめよう」

「ていうか晴美さんは、平野さんが思ってるような女性《ひと》じゃないわよ」

「……」

「私はけっこう晴美さんと話してたから、分かるの。晴美さんはご主人に復讐したかっただけだと思うの。きっと旦那の歯ブラシで洗面台を磨いて復讐するタイプなのよ。平野さんは甘すぎるわ」

「復讐……ドキッとするようなことを言うな。そんな話いいよ。前にも言っただろ？恋は盲目なの」

「ご主人が迎えに来た時、晴美さんはニコニコして船を降りていったわよ。ご主人と腕なんか組んじゃって。平野さんが可哀想だと思ったな」

「まあ、その話はいいよ。彼女が今、幸せでいてくれることが何よりだから」

「彼女が今、幸せだとは思えない」

「君は、この俺に何が言いたいの？　失恋なんて、時間の流れの中でシャボン玉のように消えてゆくもんだよ。現実をよく見て、そこから出発する以外、どんな道もない」

「……私ね、このままじゃ船を降りられないかなって思ったの」

「なんで」

「平野さんを見て、私もちょっと変わりたいと思ったのかな。平野さんが恋をしたように、私もしたいって思ったの。なぜなのか私にも分からない。それで今は平野さんのそばにいる。迷惑かしら」

いつの間にか強い海風が吹き、空は真っ黒になっていた。

雨が降ってきそうだ。

「俺と恋……君は結婚とか出産なんて、面倒くさいって言ってたじゃないか。男の世話をするなんてとてもできない。だから今まで独身を通してきた。私みたいなジジイと恋愛なんてできないだろう。この船に乗って、人生が狂ったのか？」

あーあ、また乱暴なことを言ってしまった。小雨がぽつぽつと降り出した。

「もういいわ」

彼女は空を見上げ、降ってくる雨粒を受けながら言うと、椅子を引いて黙って足早に去って行った。

「またやっちまった……また悪い海風に当たってしまったのか」

私は舌打ちし、独りで雨の降る海を見ていた。

いつもこうだ。私たちの晩餐会は、こういった別れをすることになる。

その深夜、雨が上がりしっとりと湿った海風の吹く夜になった。

ハワイ着岸～着かない荷物の補償は十五万円

かつてハワイは、アメリカの熱海のようだと評されていた。日本人がたくさんいて、特にメシが美味《うま》いわけでもなく、観光名所もたいしたことはないということだ。以前も何度か訪れていて興味はないが、女性連れでハイソなヒルトンに泊まれると思ったら、ちょっと心は弾んだ。

北極ツアーで行方不明になった荷物がまだハワイにも届いていない。ベネズエラの首都カラカスにまだあるという。

私は呆れた。

船はカラカスからキュラソー島、パナマ、グアテマラ、ハワイと停泊してきたのに、なぜまだカラカスなのだ……。

フランス航空には誠意がまったく感じられないが、ディレイト・バゲージ（荷物到着の遅れ）の補償として十五万円分のショッピングができるという通知が来た。領収証が必要なので、ハワイで全部使い切ることにした。

麗子さんとはケンカしたままなので、私が誘ったヒルトンには来ないだろう。たまには独り優雅にホテルライフを堪能するつもりだった。一泊の部屋代は四万円もする所を予約した。

昼過ぎに独り船で遅い昼食を取って出かけようとしているところに、麗子さんから電話が来た。

「今、ツアーから戻ってきました。一時にイミグレーションの前で。……待ってます」

途切れ途切れの声は、緊張しているのか、うわずっていた。

ヒルトンホテルへ〜カリカリのベーコンの朝食

午後三時。港からホテルまでタクシーで行った。ハワイのヒルトンはけっこう古い建物だったが、スイートとはいかないまでもゴージャスな部屋に入った。

「私、こういうの、初めてなの」

ドアを閉めるなり、麗子さんはうつむいた。力のない小さな声だった。

「こういうのって。こんなこと何度もできるわけないよ」

「……私ってどうかしてる……頭、真っ白」

「そうか。とりあえずハグしようね」

私は、彼女を軽く抱き寄せた。

「……これからどうなるの？　神のみぞ知るってこと？」

彼女はちょっと喘《あえ》ぎながら言う。

「安心しな。今日のテーマは、これからワイキキ・ビーチを散歩して、サンセットを見ながら洒落《しゃれ》たカフェでコーヒー飲んで、それから食事。三カ月ぶりの寿司に行こう。ヒルトン内の寿司屋だったらうまいに違いない。今のところそれ以上は決めていないよ。酒も飲むよ」

「もう平野さんは何でもテーマ主義なんだから。それ以降のテーマは私が決められるの？」

「おっと、いいでないの。任せるよ。できれば夜明けの海の見えるビーチのオープンテラスでコーヒーとカリカリベーコンのブレックファーストは入れておいておくれ」

「いいわ、私の言うことを聞くのね。私が嫌だと言うことは絶対しないね。これ、いいね。平野さんは私の奴隷になる」

彼女は私に抱かれながらベッドに崩れ落ちた。

私は、ちょっとしたキスをして素早く立ち上がった。

「行こう。第一のテーマに向かって……」

私の彼女へのテーマは、セックスすることではなかったはずだ。

私たちは若くはないのだ。むやみに求める年代ではない。

まずは夕陽の橙色に染まった淡い光の中で手を繋いでビーチを散歩して、海沿いのカフェでコーヒーを飲み、ホテル内の寿司屋に行き、アイリッシュバーに二人で入った。

バーには日本人は一人もいなかった。いつもと違って彼女も酒を飲み、私たちはしたたかに酔っ払った。

飲めない酒を無理に飲んでいるのか、真っ赤な顔をした彼女がちょっとかわいそうになった。

一生独身を決意し、身を焦がすような恋もせず、性行為も数えるほどしかしたことがない麗子さん。もう夜中の二時だ。酒に酔った彼女は倒れるように寝てしまい、私は原稿を書いている。複数の連載の締め切りが迫っていた。

船上のWi-Fiは不安定で、写真一枚送るのに十分以上かかることもある。どうしても送れないことが多々ある。カネもかかるので、今のうちに原稿や写真を日本に送っておかねばならない。

麗子さんは船上ではほとんどスッピンだが、今日はほのかに化粧をしていた。ファンデーションの香りがする。だが、彼女には豊満な胸がありながらセックス・アピールがない。

さらに、私のほうにも「彼女とひとつになりたい」という感覚がないのだ。成熟した男女のゲームとしてセックスするという感覚すらない。酔っていたせいもあるが、処女同然の女性を犯す気がして、面倒くさくもある。私も歳を取ったものだ。昔ならあり得ない。同じベッドで寝た。なぜか私はすぐに眠りに落ちた。

ビーチに面したワイキキのオープンレストランでブレックファースト。冷たい朝の海風が心地好いし、何よりも日本人が少ないのがいい。船では味わえない、英語だけの世界だ。これぞ外国に来ているという気分になってくる。

「今日はたくさん買い物しよう。フランス航空から十五万までの補償金がもらえるらしいから、好きなものを買っていいよ。貴金属とか電子機器はダメなんだけど」

「わあ、すごい。嬉しいな。お揃いのTシャツとか買ってもいい？　水着もサンダルも帽子も欲しい」

無邪気に彼女は言った。

「ところで昨夜の初めての男との外泊はどうでしたか？　それもハイソなヒルトンの一夜」

ちょっとふざけて聞いてみた。

「何もなかったものね。昨夜の私たち。平野さん、きっと私のこと好きではないのよね。わたし、ず〜っと待ってたのに……」

「何十年も貞操を守ってきた君の『ジェリコの壁』を破るには、時間もかかるさ」

私は旧約聖書の言葉を引いて、言い訳のように言った。「ジェリコの壁」とは、「絶対に崩せないもの」のたとえである。

それから私たちはスーパーでたくさんの買い物をして、街のレストランで食事をして船に戻った。

我らのエロオヤジ・村西さんの啖呵

レセプションが困った人といえば、村西さんはその代表である。もちろん気はいいし、船内でただ一人の私の友人だが、エロのためなら他人の迷惑など考えない。

七十六歳の村西さんは、誰にも遠慮せずに気軽に「愛人との愛」を確かめるためにこの船に乗った。村西さんは間違いなく不倫である。愛人は五十三歳。窓のない二人部屋で毎日毎晩愛の交歓を存分にしているらしい。

二人の部屋からは毎夜女性の激しい「アノ声」が聞こえるので、レセプションには周辺の部屋の人たちの苦情がけっこう来るという。

だが、担当者もさすがに「エッチの声はもう少し小さく」とも言えない。

「この部屋だとは申しませんが、『うるさくて寝られない』という苦情が来ています。レセプションとしては放置できませんので、お話しにまいりました」

言葉を選ぶ担当者に対し、村西さんはまったく動じない。それどころか居直る。

「俺たちは悪くない！　セックスを楽しむためにこの船に乗ったんだ！」

ピースボート史上最高の名言だと思うが、スタッフは困るだろう。

「ここだったら誰からも邪魔されないからな！　そもそも悪いのは、この部屋の防音がなってないからだ」

「そ、そんな……」

「俺たちの部屋にもまわりの騒ぎは聞こえるぞ。こんなベニヤ板で仕切ってるから悪いんだよ！」

「……」

「文句があるなら、タダで防音の部屋に移らせろ！　十階のスイートに今すぐ入れろ！」

「それは……」

「俺たちの愛の行為を邪魔するな、バカ野郎！」

最後はそう言ったそうだが、何がすごいって、これが村西さんにとって「自慢話」であることだ。サウナ室でみんなに話してくれたのだった。

最後のイベントの夜

「平野さ〜ん！」

　私がロビーのいつもの席で原稿を書いていると、磯部弥一がやって来た。

「明日のイベントの時間と場所を押さえました。もう残り日数も少ないので、二つやってくださいね」

「二つ？」

「そうです。『新宿西口地下広場』のドキュメントフィルムの上映会と、音楽講座の三回目、今回は初級ジャズ入門最終回ですね。上映会は昼の一時半からで、音楽講座は平野さんのご希望通り夜八時三十分からです。タイトルは、今日の夕方までに決めといてください」

「おいおい、ちょっと待てよ」

　私は慌てた。

「お前は俺付きのプロデューサーか？　一日に二本もイベントを仕切れるわけないだ

ろう。しかも明日なんて。準備はどうするんだ」

「すみません。もう下船が近くてスケジュールがいっぱいで、この日しかないんです。明日の船内新聞の枠も確保しました。上映会は前振りで平野さんにちょっと話していただくだけですから、それほど準備は必要ないですよ。初級ジャズ講座は今日の二時半にPAと打合せなんで、それまでに曲目を決めといてください。バタバタですけど、よろしくお願いします」

自分だけで喋って行ってしまった。

「しょうがねえなあ。ま、いいか」

私は言われた通りジャズ講座の曲目だけ決めることにした。

大内田圭弥監督の映画『地下広場　一九六九・春〜秋』とは、一九六八年十月二十一日に起こった「新宿騒乱事件」をテーマにしたドキュメンタリー映画だ。

西口広場にはベトナム戦争に反対する学生たちが新宿駅に集まり、放火や投石で車両やレールを破壊してすごい騒ぎになった。

前年の一九六七年八月にはベトナム戦争で使う米軍機用燃料を積んだ米タン（米軍タンク車）が炎上する事故も新宿駅であり、「米タン阻止」「ベトナム戦争反対」を叫ぶ学生のデモ隊四千六百人、群衆二万人が集まり、騒乱罪で七百三十四人が逮捕されている。

当時はべ平連（ベトナムに平和を！市民連合）の反戦フォークゲリラも全盛で、新宿駅西口の地下広場で反戦的なフォークソングを唄って集会を開いていた。集会は機動隊に追い散らされたりしていた。そのうち新宿西口広場は「通路」として名前を変え、立ち止まって話をすることさえ規制されるようになった。

「フォークゲリラの歌姫」と呼ばれた大木晴子《せいこ》さんは、今も西口を中心に反戦活動をしている。そのドキュメント映画である。

また麗子さんと二人きりの夜

深夜のデッキでの散歩はいい。麗子さんと二人きりだ。片手には焼酎のお湯割りグラス。

暗い海が広がり、なぜか「世間から切り離された孤立無援な二人」の気分になる。私の隣りに薄化粧の麗子さんがいる。なんだか美しくなっている気がする。

以前、「男と会う時にはちょっとは化粧くらいしろよ」と言ったことがあって、それから彼女はほんのりと化粧をしてくるようになった。だから最近はちょっと綺麗になったのかもしれない。

「平野さんが聴いてるロックやジャズ、ちっとも分かんない」

そう言いながら私からヘッドフォンを取り上げ、来生たかおを聴いている。

「ちあきなおみとテレサ・テンも入ってるよ」

「わ、平野さんセンスいい。ちあきなおみ分かるんだ?」

「バカ、俺は元・音楽プロデューサーだ。歌謡曲だってちゃんといいもんはいいと分かるんだよ。あんたの好きな石原裕次郎とか小林旭には興味がないけど」

「ふうん」

「……君はどんどん綺麗になっていく。もう私は君に何も言うことがありません。よく生きてくれ、人間の美しさはそこにある」

「こんなおばさんになんてこと言うの」

「どんなに歳をとっても、恋をすると女は強く美しくなる」

「友達から『最近あんたは言葉が悪くなった』と言われるけど、これは平野さんからの影響だな」

「俺は、この船で不倫という迷宮路に迷い込んだ。もうすぐこの航海も終わり、不倫の思い出も消える」

「晴美さんとのことは、消えちゃうのね。虚しくないですか？」

「歳のせいか、若さから離れてしまっている自分に愕然とするんだ。目の前の『流れ』に流されてみるのもいいのかもしれないと思ったのが今回の恋だったような気がする」

そう言って空を見上げた。

「……」

「人生は、旅に似ている。というか旅は人生そのものだよね。そして、旅には始まりがあって終わりがある。人は、明日に向かって生き生きとした時間を積み重ねることによって、変われていくんだと思う」

「世界を旅してきた『旅人・平野さん』の言葉は、いつだって重いな」

女の柔らかい肌の匂いがする。こういう時にはやはり幸福を感じる。あと数日で船は横浜に着き、麗子さんとは別れが待っているはずだ。なんだか今日はしみじみとした思いが連なる。

月は半かけで、満天の星が降ってきそうな暗くて強い海風の夜だ。

船明かりに照らされた白い波がウサギのように飛んでいく。

ゆっくり振り返る雲が空を覆っていて朧月が覗いていた。

雲がさらに流れ、透き通るような青い月になった。

日付変更線を越える

昼夜で二つのイベントを無難にこなし、疲れてはいるものの、ひとまず役割を終えてほっとした。

もちろん麗子さんは私のイベントには来ない。

彼女は卓球やラジオ体操、船上ウォーキング、水彩画、ヨガ、太極拳、カルチャーイベントと、朝早くからあちこちの船内のイベントを巡っている。運動会にも積極的に参加し、なんと玉入れの選手までしている。完全に私とは趣味が合わない。

「私、トークイベントって好きじゃないの」

平気でそう言う。

「運動会の玉入れに熱中しているあんたがおかしいんだよ。そんなもん日本でやれ。婆さんの玉入れなんか誰も見たくない」

「平野さんだって囲碁とか将棋をやっているでしょ。日本でやれば？」

などと平気で反論してくる。

こんな女がなぜ私に興味を持つのか分からない。

私はケンカしながらも相変わらず朝食も昼食も夜の酒も麗子さんと一緒に過ごしている。

彼女は天真爛漫に跳ねるように屈託もなく歩き、笑い、喋る。季節が移り変わるような彼女の表情がとてもいい。

私は何か大切なことを聞き忘れているような気がしたが、それが思い出せないでいた。

第八章

横浜へ

最後の発表会

もうすぐ百六日の航海が終わる。長い非日常だった。船内ではすでに帰国の準備が始まっている。

近づく台風を避けて航行しているが、雨は強く、横揺れが激しい。太平洋にはいつだって風が強く、波が荒れている水域があるという。まさしく船はそこを通過しているようだ。

この船には、それぞれの楽しかった思い出がたくさん詰まっているが、「やっと降りられる」という安堵感もあって、みんなどこか明るい。

下船を前に、乗客たちは三カ月近くもやってきたそれぞれのクラスで習った最終発表会の準備に余念がない。

絵画や書道、各種のダンスや太極拳、祭り囃子や民謡、フラダンス、オカリナ、ウクレレ、コーラスなどの音楽関係、詩吟などのほか、テニスや体操などの船内サークルの集大成となる発表会なのだ。私も参加したことのある聖書を読む会やヨガ、コーラス、パレスチナ難民の証言の会なども発表する。

全部で何種類あるのだろうか。よく分からない。

多分これは中学か高校の文化祭みたいなもので、「俺たちのクラスも何かやろうよ」という感じなのだろう。だからほとんどが素人芸の域を出ていないのだ。私の心を打つ芸はほとんどないと思っているが、みんな楽しんでいるので、文句をつける理由はない。

麗子さんも、自分の描いた水彩画を廊下に何枚も貼って悦に入っている。みんなが頑張って練習して、発表する場があるのは素晴らしい。

私はこれまで発表会にはほとんど参加してこなかったが、好奇心とネタ探しもあって見に行ってみた。

一組十分程度の発表だが、私は参加しているおじさんやおばさんたちの姿に感動していた。着飾ったみんなは出演を前にして震え興奮し、緊張しているのだ。涙を流しているおばさんもいる。この日のために練習に励んできたのだ。

どんな下手くそでも、見るに耐えられなくても、人前で演技を披露するなんてこれが人生最後だろうと思うと、胸がジーンとしてくる。

震えて声が出ない女性に「ほんと、おばあちゃん、とても良かったよ」と隣りの婦人が賞賛しているのを聞いて、涙が出るほど微笑ましい気持ちになった。ピースボートって、なんと素晴らしいんだろうと思う瞬間でもある。

特に女性は家事から解放されて自由奔放を謳歌している。これまでこういう催し物を避けていた自分が恥ずかしくなった。もちろん若者たちも参加していたが、ここの老人のパワーと晴れ姿には、とてもかなわない。

まさに老人にとって「駆け込み船」「お助け船」なのだろう。

手がけたイベントは十本

深夜、独りで暗い海を見ていると、突然、磯部弥一が寄ってきて言った。

「もうこの航海も終わりですね。実は、この船に乗っている人に平野さんを紹介するイベントが企画にあがっています」

「なに、俺の？」

「はい。平野さんにはいろいろお世話になりましたしね。でも、もう時間が取れなくて、明日なんですよ。どうせ平野さんも暇を持て余しているでしょ」

「最後の企画会議で決まったのか？　あと数日で横浜じゃないか。今さら紹介なんてされても嬉しくないよ。ほっといてくれ」

「平野さんの生き方というか、過去にやってきたことを喋ってくださいよ。学生運動とか世界を回った旅とか。ドミニカやロックやトークライブハウスの話とか」

弥一は目をウルウルさせながら言う。

「そんなもん、ただのジジイの自慢話になっちゃうから嫌だ」

「でも、平野さんの人生を聞きたいという人がたくさんいるんですよ。きっとモテますよ」

「つまらんことを言うな。今さらこの船でモテても意味がない」

「まあまあ。明日の三時からお願いします。うちのチーフの田中洋介が聞き手になりますから。あとで田中から質問内容を送らせます。では、おやすみなさい」

弥一は言うだけ言うと、さっさと行ってしまった。

「おっとっと……。昼間のイベントは嫌だと言ったのに」

舌打ちをしたが、遅かった。

田中洋介主催の『人物紹介』にゲスト出演した。

七十歳のジジイの自慢話なんか、面白いわけがない。でも、田中はいつもニコニコして喋りがうまい。だから船内でも絶大な人気がある。特に爺さん婆さんから愛されている。以前はお笑い芸人を目指したこともあるエンターテイナーで、ギターも上手く歌も唄える。サービス満点男だ。

だから、私ごときのゲストでもお客さんは百人以上集まった。学生時代から今までの人生を喋らざるを得なくなったのだが、ただの「オヤジの冒険談」で終わってしまった感がある。自分にとっては「早く終わってくれ」と思い続けた一時間だった。

ピースボート・スタッフの弥一は『朝まで生テレビ！』みたいな生討論番組をしたがった。

ピースボート主催のイベントは、偉い先生が壇上からライトに照らされて講義する形式がほとんどだから、そうではなくてお互いの唾がかかりそうな熱気のある議論がしたいようだ。だから私のイベントはいつだって「討論形式」なのだが、こういうのに若者がほとんど来ないのが残念である。

今回、私が行なったイベントは次の通りである。音楽イベントはCDをかけて解説するスタイルだ。

一　日本のロック、フォークの七十年代を聴く
二　「日本語ロックを聴こう」はっぴいえんどからサンボマスターまで
三　メッセージ音楽を聴く
四　パネル・ディスカッション『憲法九条』（パネラー）
五　洋上選挙と参議選『どうなる、どうする日本』（司会）
六　討論・ヘイトスピーチを考える（対論）
七　討論・原発は必要か否か（司会）
八　ドキュメンタリー映画上映『官邸前へ』（解説）
九　ドキュメンタリー映画上映『地下広場　一九六九・春〜秋』（解説）

十　田中洋介『人物紹介　平野悠』

村西さん最後の孤立無援の反乱

横浜まであと四日となり、今日は最後の「帰国説明会」だ。乗客と船側が一堂に集まる機会はこの日の他にない。朝、あのエロオヤジの村西さんと食事。連れの愛人さんはいつも色っぽい。

「今日は最後の説明会だ。もし村西さんが『どうもこのボートは左翼っぽくて面白くない』とか『乗客に何も知らせない秘密主義がケシカラン』と思っているのなら、この集まりに乱入してひと騒動起こしてケンカするしかないよ。もう村西さんにはそんな勇気がないだろうな。意気地がないんだからな……」

私はデザートのスイカにヨーグルトをまぶしながら、顔を見ずに独り言のように挑発してみた。

するとは村西さんの眼がぎょろりと動き、据わった。それはかなり恐ろしい表情だった。

「なんだ、俺を挑発しているのか」

「いや、そんなことはないよ。俺はピースボート支持派だし、とても村西さんと一緒の行動をすることはできない。ただこのまま村西さんが何も言わないで船を降りるのは残念だろうなって思っただけだから。それに、村西さんのあっぱれな晴れ姿を見たいのは俺だけじゃない」

「晴れ姿は見たいわね」

愛人さんも同意したものだから、私もつい「ここで男を上げなくてどうする。ここは帰国説明会に一発乱入するしかないよ。ここまで来たらもう強制下船命令はないよ」とまで言ってしまった。

「そうかなあ」

「でもさ、もしそれをやったら、もう村西さんは二度とピースボートには乗れないかもしれないけど大丈夫？」

しばらく考え込んでいた村西さんは、やおら席を立って「やるっきゃないか……」と言って消えた。

「これは面白くなってきた。村西さんはやる気になっている。見に行かねば」

なんともひどい挑発をしてしまった。

船の「説明会」は午後に二回にわたって開かれていた。

説明会が始まって四十分ほど経つと、突然、村西さんが制止されたにもかかわらず強引に壇上にあがった。

「いいぞ村西さん！」私は心の中で叫んだ。

小さな混乱があり、うろたえるステージのピースボートの面々。ここまでは成功かもしれないと思った。だが村西さんは何やら怒鳴っているが、客席には聞こえない。

「マイクを渡せ！」とヤジが飛んだ。

「お話はあとで聞きます」

村西さんは数名の係員に取り囲まれた。客席から誰も味方しようとする者はいない。すぐに説明会は再開され、村西さんは身動きが取れない。作戦的には失敗である。孤軍奮闘する村西さんはちょっと見ていて辛く、乗客からの同調者がほとんど出てこないのも寂しい。

村西さんがマイクを握らねば壇上で何を喋っているのか分からないし、結局のところ村西さんは聴衆に向けてほとんど何も伝えられないまま散会となってしまった。

村西さんが一体何に抗議しているのか、乗客には最後まで分からないままだった。この成り行きを面白がって居残る乗客は数人しかいなくなった。

ステージ横ではしばらく事務局と村西さんの話が続いたが、もう会場は閑散として誰もいない。「ま、こんなもんか」と私はそれなりに面白がって見ていたが、明らかにこの挑戦は失敗である。もう少し戦術を練る必要があった。

それから村西さんは船を降りるまでどこにも姿を見せることはなかった。事務局に横浜まで監禁されたかと思ったが、そんなことはなかったらしい。

麗子さんとの最後の夜

楽なことにパッキングした荷物は部屋まで係員が取りに来てくれて、そのまま税関まで運ばれる。三カ月半にわたる船内生活の品々のパッキングも終わって、あとは体ひとつで横浜港に降りるだけだ。

私はこの日も夕刻に走り、腹筋をしてサウナに入って海の見えるレストランで独り食事だ。

もうこの航海も終わりかと思うとなんとも寂しい。

とはいえ水平線はまだ彼方にあり、どんよりと雲が動いて月もその間から顔を出して、眺めている。遠くの雲に海も空も星も月も漂っている。

麗子さんは沈んだ面持《おもも》ちで寂しい目をして海を見ている。私たちは、デッキの最後尾のカウンターの硬い椅子に座っている。誰かが笑いながら去ってゆく。心地の好いレゲエのリズムが流れ、静かな海風が背中をなでる。

多分、この日が麗子さんと話すのは最後になりそうだ。彼女は九州に帰り、私は東京で日常の生活に戻る。

「明後日の朝には横浜だ。そして君は九州の田舎に帰る。もうこんなデートはできないね」

「そうね。もう平野さんとはお別れなのね。私の故郷は田舎で携帯も繋がりにくいし、何をするにも不便で、若者も少ない。でもお金の心配もなく、のびのび生活できる。都会生活は便利だけど……。やはり船を降りるのはとてつもなく寂しいわ」

「"Back to real life tomorrow"か。安全に君を守ってくれて暮らせる故郷があるって、いいね」

「明日でこの船旅は終わるのね。寂しいな、とっても」

「そうだね。何でもないのに、涙が出るほど今日の君は綺麗です。君の笑顔はもっと素敵だ。今日の君のスカーフも圧倒的だな。これが最後だと思うと心残りがありすぎる」

「ありがとう。平野さんはいつも私を褒めてくれる。とっても嬉しいわ。褒められたことがきっかけで恋に落ちるには、もう私たちには時間がない」

「えっ……」

遠方に波の音がする。私は彼女を見つめた。空気も柔らかく静かな、風もない夜空。

彼女は満面の微笑みを返した。

「何もなかった船の上でキリスト信者の晴美さんが現れ、君が現れ、寂しさの中で明日には別れ別れになる。華やかな宴の後に来る桜散るのようだ。今日も明日も……日本に帰って、俺たちはまた日常に戻るんだね」

私は独り言のようにそう言って小さく笑った。

「私の人生は何だったのか、ただ生きるだけでは無価値だ。何のために生きるのか、初めて鋭く問い詰めてくれたのは平野さん。感謝してます。誰かを養えるほどではないけれど、自分だけなら生きていける経済力は身につけ、人生に後悔はないわ。これからもそうたくましく生きていくわ」

「君はちゃんと会社を勤め上げて年金をもらっているじゃないか。社会人として恥じるものは何もない」

そこにはさばさばに乾ききった私の心が存在していた。

「あなたと逢っていると楽しいの。とてもいいなって思ってる。男性と言葉を交わしたり、付き合うのって、思えば小さい頃から不得意だった。なんかそういうのって、遠回しに断る癖がついてしまって、結局は誰からも誘われなくなったわ」

「……」

「高校を卒業して初めて勤めた銀行では、女子社員は二十六歳くらいまでに結婚して辞めるから、私も結婚の予定はなかったけど辞めたの。銀行に居座る自信はなかったから……。臨時公務員として勤めたら、いつの間にか正規の公務員になっちゃって、六十歳まで勤めたの」

「君の人生に悔いはないんだろ？」

「今さら、そんなこと。でも、ピースボートの経験で少しは自分を変えて生きてみようと思ってるの。この船での生活にヒントが少しあるのかもしれない」

「そうだね」

「生きるヒントやサインは自分で求めるしかないから」

「もうお互いにいつ死んでもおかしくない歳だしね」

「うん。これからも『前向きな生き方』みたいなのは嫌だし、ボランティアとか社会貢献をする気もないわ。男のために家事をするなんて私にはできないけど、冒険的なことも好きじゃないの。私はそうやって淡々と生きてきた。あとはどこかの老人ホームで一生を終えるの」

「それって、家庭的な生活を求める男にとって決定的な言葉だよ。やっぱり君は一人で生き抜くしかないかもね」

なんか偉そうなことばかり言う自分が辛くなってきた。

「星を見に行こう。最後の夜だっていうのに暗い話で別れるのは嫌だな」

私は話を強制終了させ、お湯割りのグラスを持って立ち上がった。

「君がいるだけで、心からありがとうと言いたいな。みんなから恋人みたいだと噂されてるけど、俺たちって何だったのかな？　そして、あと一日でそれも終わりを遂げる」

「そうなのよ、それって確実に過去形じゃないの。平野さんにとって、私とのことは船を降りれば終了なのよね」

「もうこんな毎日はあり得ない。それに、君が俺のために九州から東京に住み替えることも、その反対に俺が九州に住むこともあり得ない。君は以前の生活を望んでいる。新しく生き抜くための決起はできないに違いない。まるであの晴美さんみたいだ。結局、決起しようと思っても年波に勝てずに旦那のもとに戻るしかない。だから、君も以前の心地好い日常に戻る。今までそうやって生きてきたんだろ？」

「この別れは、覚悟していたわ」

「なんだよ突然？　この航海はおかげでいい人生の途中下車になった。歳をとって古びてゆく。近い将来、我々にも『最終電車』がやって来る」

「私、今日ここにいて、平野さんとお話ししていても、とっても孤独に思えてしまう。今までこんなに感傷的になったことはないわ」

「そうだね」

「船の上で毎日平野さんと一緒にいて、海を見て、ごはんを食べて……。素敵な時間だったけど、結局、私は何ひとつ手に入れられなかった気がするの」

彼女の潤んだ瞳から涙が落ちようとしているのが見えた。

「泣くな。自分の頑張ってきた人生に泣くことはない。孤独な人生を過ごしている人は、思慮深いはずだ」

そう言いながら、私も涙をこらえきれず、思わず麗子さんの涙を手のひらで受け止め、肩を抱き寄せた。

「ねえ、東京かどこかで私たち会えないの?」

遠くを見ながら麗子さんは震えるように言った。

「それは神のみぞ知るだな……。でも、やっぱりさよならだ」

麗子さんは真剣な表情になって黙っていた。

「いいよ。私たち、さよならなのね、平野さん。今までありがとう。きっと私からは電話しないと思うわ」

突然、何かを決意したように静かに私の手をはずして闇の中に消えていった。

「こういう別れってありか」と思う間もなく、彼女の姿は見えなくなった。

今夜の月明かりはどこまでも透明に広がり、海がセルロイド色になってくる。

天空の海原は灰色に変化し、私のまわりは飴色になって私は麗子さんとは反対の闇に歩いてゆく。

波間で海や空を見上げる年老いた旅人は、また独りぼっちになった。

エピローグ

あとがきとは「コンサートに行ってアンコールをしてもらうようなお得感のある内容が一番」だと聞いたことがある。

私は、この十年余りでピースボート三度目の世界一周航海を経験した。南回り（アフリカ、南米、南極）、北回り（ヨーロッパ、北欧、北極）、東回り（アフリカ、南米、オセアアニア）である。合計十五万キロの船旅をしたことになる。すっかりこの船にハマってしまったようだ。とはいえ、私はピースボート乗船記を一冊の本にしたいと考えたことがなかった。

しかしこの三回目の航海は特別なものになったようだ。七十歳になり、自分にどれだけの時間が残されているのか、自問する航海に違いないと思っていた。

ゆったりと流れる有り余る時間の中で、私は最後の人生を考えるつもりだった。さらにはかつて世界を回る元祖バックパッカーだった私の最後の夢は北極に行くことだった。世界の六大陸と七つの海を制覇したいと思っていたのだ。

長く生きているといろいろ考えるものだ。「生きているそのものには価値がない。実際には人生はただの器に過ぎず、そして人生にどれだけの価値があるのか」をどこかで検証してみたかったのかもしれない。


私たちが望むものは人間らしい人生、人格を持った人間としての生涯の類《たぐい》だ。死には普遍性があるが、五歳で死ぬ人もいれば百歳以上生きる人もいる。多くの人は、あとどのくらいの時間が残っているかが分からないのが真実だ。

当初は、ともに航海する老人たちの喜怒哀楽たっぷりの人生や世界の寄港地の風景を中心に取材するつもりだったが、気づけば私は過去何十年も味わったことのない圧倒的な「恋」をした。

七十歳になっての恋愛なんてなんだか気持ち悪く、こっぱずかしいのだが、今回ばかりは「人間は生がある限り人を愛することができる」ということを確実に味わったのだ。

三カ月半の航海は楽しいことばかりではなく、「もう船を降りて日本に帰りたい」と思うこともあったが、今回は航海日誌を書くというミッションもあり、期せずしていわゆる〝ピースボート・マジック〟にハマってしまい、「不倫の恋に溺れる自分」と向き合うことになってしまった。

恋の真っ最中ならいざ知らず、船を降りて冷め切った頭で改めて原稿をまとめるのは、気恥ずかしいことこの上ない。本書の出版は、かなり勇気のいる作業だった。しかし、私の人生の中でもとても面白く価値のある経験だったことは確かだ。私のこの衝撃的な経験を読者に伝えたいと思ったのがこの本を出版する動機である。

本書は、航海中に自身のSNSや書籍の口コミサイト『シミルボン』のブログ連載、ロフト発行のフリーマガジン『ルーフトップ』の連載記事などをまとめ、さらに大幅に加筆修正したものである。

登場人物については一部事実関係を変えているものの、失礼な書き方をしている部分もあるし、これをご当人が読むと思うとちょっと冷や汗が出る。先に謝っておきたい。

そして、本書の原稿執筆にあたっては実に多くの方々に助けていただいた。

まずは『シミルボン』の加藤健一さんに感謝。仕事としての依頼がなければ、私はここまで積極的に体験談を書けなかっただろう。きっと「恋にハマる」こともなく、部屋で一人引きこもっていたに違いない。

そして、我がロフトプロジェクト社長の加藤梅造、ルーフトップ編集長の椎名宗之、ロフトブックスの鬼頭正樹、営業の澤村康博、ロフト・スタッフの成宮アイコや小柳元、編集作業に協力してくれた青山敬子さん、もちろんピースボートのスタッフの皆さんにも心から感謝したい。

二〇二〇年五月吉日　平野悠

装画　ルイ・シン
ブックデザイン　鈴木成一デザイン室
航路図　藤原有記
編集　椎名宗之
編集協力　二木啓孝
青山敬子
山崎真実子
ＮＧＯピースボート

平野 悠 Yu Hirano

1944年8月10日、東京に生まれる。ライブハウス「ロフト」創立者、またの名を「ロフト席亭」。

1971年、ジャズ喫茶「烏山ロフト」をオープン以降、東京になくなってしまったロック・フォーク系のライブハウスを開業。1973年「西荻窪ロフト」、1974年「荻窪ロフト」、1975年「下北沢ロフト」、1976年「新宿ロフト」、1980年「自由が丘ロフト」を次々とオープンさせた後、1982年に無期限の海外放浪に出る。

5年にわたる海外でのバックパッカー生活（100カ国制覇）を経て、カリブ海の島・ドミニカ共和国にて市民権を獲得。1987年に日本レストランと貿易会社をドミニカに設立。1990年、大阪花博のドミニカ政府代表代理、ドミニカ館館長に就任。1991年にドミニカ完全撤退、1992年に帰国。

1991年、「下北沢シェルター」をオープン。1995年、世界初のトークライブハウス「ロフトプラスワン」をオープンし、トークライブの文化を日本に定着させる。2004年に「ネイキッドロフト」、2007年に「阿佐ヶ谷ロフトA」、2014年に「ロフトプラスワンウエスト」、2018年に「ロックカフェロフト」と、近年はトークライブハウスを次々とオープンさせている。

古希を過ぎてこだわっているテーマとして「音楽」「旅」「政治」「脱原発」を掲げ、日々それらとふれあい続けて今に至る。

セルロイドの海

二〇二〇年六月二五日　第一刷発行

著者　平野 悠

発行者　加藤梅造

発行所　有限会社ルーフトップ／ロフトブックス編集部
東京都新宿区百人町1-5-1
百人町ビル3F（〒169-0073）
TEL: 03-5287-3766 FAX: 03-5287-9177

発売所　株式会社世界書院
東京都江東区亀戸8-25-12（〒136-0071）
TEL: 03-5875-4116 FAX: 03-5937-3919

印刷所・製本所　中央精版印刷株式会社

Printed in Japan
ISBN978-4-7927-9583-2 C0093